Stephanie Bond grandit dans une ferme du Kentucky. Inutile de préciser qu'il n'y a pas grand-chose dans les parages pour occuper ses longues soirées d'hiver. Par chance, sa tante chérie lui transmet sa passion pour la lecture. Après avoir travaillé plusieurs années dans une entreprise d'informatique, son talent est remarqué par le professeur qui lui donne des cours du soir. Celui-ci encourage Stephanie à soumettre ses projets à diverses revues. Deux ans plus tard, elle démissionne pour se consacrer à plein temps à l'écriture. Elle a déjà publié plus de soixante romans à ce jour.

Stephanie Bond

Opération séparation

Traduit de l'anglais (États-Unis) par Lise Capitan

Milady Romance

Milady est un label des éditions Bragelonne

Titre original : *Stop the Wedding!*

ISBN : 978-2-8112-1067-0

Bragelonne – Milady
60-62, rue d'Hauteville – 75010 Paris

E-mail : info@milady.fr
Site Internet : www.milady.fr

Si quelqu'un s'oppose à cette union,
qu'il parle maintenant…

Chapitre premier

Annabelle Coakley ramassa son sandwich entamé pour céder la place à une pile de dossiers que portait Domino, son assistante. Elle fit ensuite passer son téléphone à son autre oreille avec l'habileté d'une jongleuse.

— Maman, j'adorerais bavarder, mais là, tout de suite, je suis vraiment débordée.

Dom pointa sa montre du doigt, rappelant en silence qu'Annabelle devait se présenter au tribunal vingt minutes plus tard.

— Est-ce que je peux te recontacter ce soir ? demanda Annabelle en levant un doigt.

Un petit gloussement se fit entendre à l'autre bout du fil.

— Ce soir, j'ai mon cours de danse, ma chérie, répondit sa mère. Je ne serai pas longue, je t'appelais juste pour t'annoncer que j'allais me marier.

Annabelle qui était en train d'acquiescer à l'intention de son assistante s'arrêta net et coinça le téléphone plus près de son oreille.

— Tu quoi ?

— Je me marie, répéta sa mère.

Annabelle sentait que sa tête allait exploser.

— Ne quitte pas, maman.

Elle couvrit le combiné d'une main et indiqua à Dom les dossiers dont elle aurait besoin au tribunal, puis elle lui fit signe de quitter le bureau exigu. Dès que la porte fut fermée, elle découvrit le téléphone et se mit à s'esclaffer.

— Avec tout le bazar qui règne ici, j'ai dû mal comprendre. J'ai cru que tu me disais que tu allais te marier, déclara Annabelle en riant de plus belle.

Elle secoua la tête en entendant l'absurdité totale de l'idée que sa chère mère, veuve au demeurant, puisse envisager une chose aussi irresponsable.

— Tu as bien entendu, ma chérie. Je me marie.

Annabelle se calma et fit jouer ses doigts sur un coupe-papier en forme de poignard posé sur son bureau.

— Avec Melvin ?

— Il s'appelle Martin, ma chérie. Martin Castleberry.

— La star de cinéma ringarde ?

— Pour ma génération, c'est une légende..., rétorqua sa mère dans un soupir, ce qui fit regretter à Annabelle de ne pas avoir hérité de sa patience.

La jeune femme enfonça le coupe-papier dans le panneau en liège de son calendrier.

— Mais tu ne le connais que depuis quoi, trois semaines ?

— Huit.

— Ce qui doit correspondre au nombre de mariages qu'il a déjà contractés.

— Ce seront les sixièmes noces de Martin, rectifia sa mère dans un autre soupir.

— Six, huit… Au bout d'un moment, on arrête de compter, n'est-ce pas ?

— Sois gentille, ma chérie.

— Mais, maman, objecta Annabelle qui avait envie de hurler de rage. Comment peux-tu épouser un homme que tu ne connais que depuis deux mois ?

— Martin et moi avons su que nous étions faits l'un pour l'autre au bout de deux petites heures, ma chérie.

— Mais… mais…, bredouilla Annabelle qui chercha des arguments imparables avant de se résoudre à aborder le sujet qui lui tenait le plus à cœur. Mais cela fait si peu de temps que papa nous a quittées.

Ces paroles restèrent en suspens dans le silence qui s'abattit ensuite, et même si Annabelle déplorait d'avoir à en parler à cet instant, elle ne regrettait pas de faire preuve d'honnêteté. Belle finit par s'éclaircir la voix.

— Ton père nous a quittées voilà plus de deux ans, Annabelle, et je me sens seule.

La jeune femme sentit son cœur se serrer et une chape de culpabilité s'abattit sur ses épaules.

— Viens donc passer quelques jours de vacances à Detroit dans ce cas, suggéra-t-elle.

— La dernière fois que je t'ai rendu visite, je me suis sentie de trop, fit remarquer Belle d'une voix contrariée. Tu croules sous les responsabilités.

Bien sûr, Annabelle se souvenait du jour où elles avaient passé la journée à faire les boutiques, mais où son téléphone avait sonné au moins une vingtaine de fois. Elle ferma les yeux, submergée par une vague de regrets.

— Alors, j'irai à Atlanta plus souvent.

— Tu sais que je suis toujours ravie de te voir. Et j'espérais que tu pourrais assister à la cérémonie.

— Tu as déjà arrêté une date ? s'enquit Annabelle dont le cœur s'emballait.

— La cérémonie aura lieu samedi prochain, chantonna sa mère.

— Tu veux dire dans une semaine ?

Annabelle s'efforça de ne pas laisser transparaître la panique dans sa voix.

Martin Castleberry avait au moins soixante-quinze ans – soit une bonne vingtaine d'années de plus que Belle –, et ses incartades amoureuses étaient plus légendaires que sa carrière cinématographique ne l'était aux yeux de sa mère. Annabelle n'avait jamais rencontré cet homme, mais elle se souvenait à quel point il avait fait les choux gras de la presse people quelques années plus tôt, quand il avait épousé une starlette de quarante ans sa cadette. Le vieux don Juan et sa lolita avaient fait le régal des comiques télé pendant trois longs mois – soit aussi longtemps que dura cette malheureuse union.

Cet homme faisait la risée de tous, et Annabelle avait manqué de s'évanouir quand Belle lui avait révélé pour la première fois qu'elle sortait avec lui. Elle s'était apaisée en songeant que, même si sa mère était une belle femme, Castleberry se laisserait vite distraire par quelque nymphette. À présent, elle s'en voulait terriblement de ne pas avoir tué ce flirt dans l'œuf.

— Maman, parlons de tout cela ce soir, d'accord ? suggéra-t-elle en s'humectant les lèvres.

— Alors tu penses pouvoir t'arranger pour assister à la cérémonie ?

La seule perspective de voir sa mère si gentille, si naïve et si seule promettre d'aimer, de protéger et de chérir un play-boy du genre de Martin Castleberry lui donnait la chair de poule. Le cœur tendre et loyal de Belle serait brisé quand il la délaisserait, et elle avait pourtant eu son quota de chagrin d'amour au cours des deux dernières années. Ne souhaitant pas en rajouter pour l'instant, Annabelle affirma d'une voix à l'enthousiasme surjoué :

— Je ne manquerais cela pour rien au monde.

— Et que dirais-tu d'être mon témoin de mariage ?

— J'accepte bien volontiers, répondit Annabelle après avoir tressailli.

— Oh, merci, ma chérie ! s'exclama sa mère. La cérémonie se fera en petit comité, avec seulement quelques amis. Martin a suggéré que nous prononcions nos vœux à la lueur des chandelles.

— Ce que c'est... romantique, commenta Annabelle en levant les yeux au ciel.

— Je sais que tu es très occupée, alors j'imagine que tu prendras l'avion le jour même ?

La jeune femme vit défiler dans sa tête la liste de ses affaires en instance.

— Il va falloir que je vérifie mon planning pour pouvoir te dire ça, maman.

Voyant l'heure qu'indiquait sa montre, Annabelle se leva.

— D'ailleurs, il faut que je file. Je t'appelle plus tard, d'accord ? Je t'aime.

Annabelle reposa le combiné et traversa la pièce au pas de courses, la tête pleine de pensées contradictoires. Le mois de juin était peut-être très couru pour les mariages, mais elle savait mieux que quiconque que c'était aussi un mois au cours duquel les divorces foisonnaient. La météo devenant subitement clémente pouvait bien être l'étincelle qui enflammait les chaumières, mais elle avait l'impression que toutes les femmes en difficulté de Detroit souhaitaient divorcer et faisaient appel aux services de son cabinet pour y parvenir. Avec la charge de travail qu'elle devait assumer, elle avait déjà du mal à se ménager un week-end de détente, alors que dire d'un voyage pour assister aux noces de Belle Coakley et Martin Castleberry ?

Elle secoua la tête dans un long soupir. Pourquoi se marier alors que l'époque veut que l'on change de partenaire comme de chemise ?

Annabelle jeta la bandoulière de sa sacoche sur son épaule d'un geste sec, puis son regard s'attarda sur une photo de ses parents posée sur une étagère. La gorge nouée, elle souleva le cadre argenté et passa un doigt sur les visages souriants. Au moment où la scène avait été immortalisée, qui aurait pu prévoir que ce serait la dernière fois qu'ils seraient tous ensemble ?

Ses parents avaient bâti une famille solide, basée sur des valeurs et une répartition des rôles traditionnelles – ce qui se faisait de plus en plus rare. Belle était restée au foyer, à cuisiner, nettoyer, jardiner et élever Annabelle. Son père avait travaillé tard le soir pour un petit cabinet d'avocats situé à la périphérie d'Atlanta, gagnant de quoi mener une existence bourgeoise, tout en s'organisant pour assister à la plupart des compétitions de natation de sa fille au lycée. Quand Annabelle obtint son diplôme universitaire, son père attendait sa retraite avec impatience, mais le destin en décida autrement, et une crise cardiaque le priva de son objectif à quelques semaines près. Par la suite, Annabelle se demanda s'il s'était douté que sa santé déclinait, en raison d'une singulière requête qu'il lui avait faite lors d'une de leurs dernières sorties.

« Anna, promets-moi que tu veilleras sur ta mère s'il m'arrive quelque chose. Elle est si fragile...

— Bien sûr, papa. Tu sais que tu n'as même pas besoin de me le demander. »

Ayant perdu son père adoré à l'âge de vingt-six ans, Annabelle expérimenta pleinement ce que cela faisait de voir un foyer aux fondations stables s'effondrer d'un seul coup. Gardant la promesse faite à son père en tête, elle avait renoncé à un semestre de droit à l'Université du Michigan pour aider sa mère à gérer tous les aspects de l'héritage immobilier. Elle se rendit compte de la chance qu'avaient eue ses parents, car leur propriété avait énormément gagné en valeur – les promoteurs immobiliers faisant construire des lotissements de luxe tout autour de leur maison, qui était auparavant considérée comme appartenant à une zone rurale.

Elle avait à peine remarqué que l'imposante bâtisse construite juste derrière la maison de sa mère abritait le libidineux Martin Castleberry.

Annabelle déglutit pour faire passer la boule qui s'était formée dans sa gorge. Elle ne s'était pas montrée à la hauteur de la volonté de son père. Ses visites et coups de fil sporadiques avaient mené sa mère tout droit dans les bras d'un Casanova notoire. Elle plissa les yeux en imaginant le vieux Castleberry, avec ses cheveux blancs et son bronzage permanent, en train d'enlacer une bimbo plantureuse. Cet homme n'était pas assez bien pour une femme de la trempe de sa mère. La tension artérielle d'Annabelle grimpa en flèche.

Pour la forme, Domino frappa un coup à la porte avant de l'ouvrir en grand.

— Annabelle, ton taxi t'attend, et tu as ton agent immobilier en ligne. Est-ce que ça va ?

La jeune femme prit une profonde inspiration et l'armature de son soutien-gorge écorcha sa peau. Elle n'avait même pas le temps de s'acheter de nouveaux sous-vêtements. Que pouvait-on en déduire de sa vie ?

— Je vais bien, répondit-elle d'une voix étonnamment puissante tout en reposant le cadre photo. Rends-moi un service, Dom, veux-tu ?

— Bien sûr.

— Libère-moi la semaine prochaine sur le planning.

— Une semaine entière ? demanda son assistante en haussant les sourcils. Urgence familiale ?

Il était hors de question que Martin Castleberry traîne le nom de sa mère – et le sien –, dans la boue. Elle se contenterait d'aller à Atlanta en avion et de dénoncer le grand coureur de jupons qu'il était, puis de ramener sa mère à Detroit pour vivre avec elle.

— Oui, rétorqua Annabelle en levant le menton. Il faut que j'empêche un mariage.

* * *

Clay Castleberry s'était servi d'un pointeur laser pour désigner la hausse la plus impressionnante du graphique.

— Comme vous pouvez le voir, ces huit dernières années, le fonds industriel Munich-Tyre s'est montré plus performant que l'indice Dow Jones de six à neuf pour cent.

Il fit une pause pour laisser l'interprète français traduire, veillant particulièrement à chacune de ses intonations pour s'assurer qu'il mettait l'accent là où c'était nécessaire.

— Mes associés et moi-même pensons que…, commença-t-il quand un coup timide fut frappé à la porte.

Il se tourna et s'abstint de réprimander la réceptionniste qui venait de passer la tête par la porte de la salle de réunion aux lumières tamisées.

— Monsieur Castleberry, j'ai un certain M. Jacobson en ligne pour vous.

— Dites-lui que je suis en réunion et prenez son message.

— C'est ce que j'ai fait, monsieur, mais il prétend que c'est urgent.

Clay sentit un vent de panique le gagner tandis qu'il passait mentalement en revue toutes les raisons tragiques pour lesquelles l'ami de son père voudrait lui téléphoner en urgence alors qu'il était en voyage d'affaires à Paris. Il murmura un « Excusez-moi » avant de quitter la salle, battant des paupières pour adapter sa vue à l'éclairage cru du guichet de la réception. Son cœur battait la chamade quand il s'empara du téléphone posé sur le comptoir puis appuya sur le bouton qui clignotait.

— Jake, quoi de neuf ? lança-t-il.

— Désolé de te déranger, Clay, mais je suis sur le point d'embarquer sur un vol pour la Nouvelle-Zélande. Je vais être injoignable pendant un moment et je voulais te parler de quelque chose avant de partir.

— Alors papa va bien ? s'enquit Clay.

— Quoi ? Oh oui, cette vieille canaille de Martin est en pleine forme.

Les épaules de Clay se détendirent, traduisant son soulagement intense, mais se crispèrent de nouveau quand Jacobson émit le long sifflement que le jeune homme avait identifié comme étant le signe avant-coureur d'une annonce surprenante relative aux fricotages de son père. Il tourna les yeux vers la salle emplie de riches investisseurs internationaux qu'il avait laissés en suspens et se massa l'arête du nez.

— Qu'est-ce qu'il a inventé ? demanda Clay.

— Il se marie.

— Encore ? pesta Clay.

— J'en ai bien peur. Ton père a l'air d'avoir un faible pour le mariage, fit remarquer Jake.

Tel père, tel fils… Pas vraiment, non.

— Qui ça peut bien être cette fois ? Pitié, ne me dis pas qu'elle est mineure, implora Clay.

— Elle s'appelle Belle Coakley, indiqua Jake. C'est apparemment une de ses voisines, mais il a refusé de me communiquer son âge. J'ai pensé que tu la connaissais peut-être.

— Non, répondit Clay en pinçant les lèvres, papa ne m'a pas parlé d'elle, mais ça fait longtemps que je ne suis pas allé lui rendre visite.

Ils avaient du mal à s'entendre au téléphone, mais ce n'était rien comparé à leurs échanges en face à face. Il fallait se lever de bonne heure pour leur faire franchir la trentaine de kilomètres qui séparaient leurs domiciles respectifs à Atlanta.

— Je suis sûr que cette Coakley est une femme intéressée qui a eu vent du chèque d'indemnités que mon père a touché pour compenser ses royalties non perçues pour *Streetwise*.

— On peut dire que Martin s'est bien fait avoir sur ce film, commenta Jake d'une voix empreinte de sympathie. Après le travail que tu as fourni pour obtenir cet argent qui lui revenait, Clay, je n'aimerais pas le voir partir en fumée. C'est pourquoi je ne tiens pas parole, parce qu'il m'a fait promettre de ne pas te parler du mariage.

— Il imaginait que je n'en saurais jamais rien ?

— Il veut que la cérémonie ait lieu avant ton retour à Atlanta. Dans une semaine.

— Tu crois qu'il devient sénile, Jake ? demanda Clay après avoir laissé tomber sa tête vers l'avant dans un grognement.

— Malheureusement, non, rétorqua l'ami de son père. Je pense qu'il est en pleine possession de ses moyens.

Triste réalité, songea Clay avec amertume.

Une voix étouffée retentit dans le fond.

— C'est mon embarquement qui commence, expliqua Jake. Je n'aime pas annoncer les mauvaises nouvelles et partir comme un voleur, mais…

— Vas-y, Jake, amuse-toi bien ! Et merci de m'avoir prévenu.

— Tu as un plan ?

Clay pensa aux affaires qu'il perdrait sûrement s'il rentrait aux États-Unis pour gérer le dernier fiasco de son père, et la moutarde lui monta au nez.

— Bien sûr. Je vais simplement démasquer cette demoiselle Coakley et prouver que ce n'est qu'une croqueuse de diamants. Et…, ajouta-t-il en tapant du plat de la main sur le comptoir, je ferai tout ce qui est en mon pouvoir pour empêcher ce mariage.

Chapitre 2

— Moi, j'ai atterri, mais pas mes bagages, marmonna Annabelle dans son téléphone portable.

Une chose était sûre : elle ne pourrait plus repousser cette expédition shopping pour s'acheter de nouveaux sous-vêtements.

— As-tu glissé quelques vêtements de rechange dans ton bagage à main ? s'enquit Domino d'un ton empreint de compassion.

— Je n'avais pas vraiment la place dans ma sacoche d'ordinateur portable.

— Tu as pris ton portable ? s'étonna son amie qui émit un grognement de désapprobation. Je croyais que le but de ce voyage était de passer du temps avec ta mère.

— J'ai apporté quelques dossiers à lire, et j'ai dit à mon agent immobilier que je consulterais mes e-mails… Il faut encore définir une date pour boucler mon achat de maison.

— En parlant de ça, elle a envoyé une photo et un plan cadastral au bureau, indiqua Domino. Je crève de jalousie… Comment peux-tu t'offrir une si belle demeure ?

En dépit de leur solide amitié, Annabelle ne souhaitait pas révéler certains aspects de sa vie privée.

— Disons que je sais bien choisir mes amis et mes investissements, déclara la jeune femme.

— Je suis flattée. As-tu téléphoné à ta mère ?

— Non.

— Tu vas te contenter de te pointer à sa porte comme ça ? demanda Domino en riant.

— Imagine un peu comme elle sera contente de me voir.

— Tu as peur qu'ils ne prennent la fuite si ta mère découvre ta venue ?

— Bon, d'accord, tu vois clair dans mon jeu. Mais si tout se passe bien, je serai de retour dans quelques jours, et avec un peu de chance je la ramènerai aussi. Je pense qu'elle a simplement besoin de changer de décor quelque temps, expliqua Annabelle. Au téléphone hier soir, elle m'a avoué qu'elle « aimait » ce type. Tu te rends compte un peu ?

Pendant le silence qui suivit, la jeune femme devina qu'un petit sermon à son intention était en cours d'élaboration et elle était parée à tout.

— Annabelle, es-tu sûre de savoir ce que tu fais ? lança Domino.

— Je suis convaincue que ma mère est vulnérable en ce moment, et qu'elle est sur le point de commettre une grosse erreur, déclara-t-elle dans un soupir.

Son amie s'éclaircit la voix.

— J'imagine que ce n'est pas le moment idéal pour signaler cela, mais Mme Coakley ne considère peut-être pas sa fille, célibataire de vingt-huit ans et avocate spécialisée dans les affaires de divorce, comme une référence en matière de relations amoureuses.

— Dom, j'ai connu bien plus d'hommes que ma mère, objecta Annabelle.

— Si tu le dis, concéda Dom, manifestement dubitative. Mais tu as eu combien de demandes en mariage ?

— Tu sais ce que je pense du mariage, fit remarquer Annabelle en fronçant les sourcils.

— C'est exactement là que je veux en venir, et la raison pour laquelle je t'assure que si tu ne mets pas ton cynisme en veilleuse, elle risque de te trouver condescendante.

— Il faut que je raccroche maintenant, déclara Annabelle.

— Bon, je prends cela comme un avertissement. À partir de maintenant, je garderai mes avis pour moi.

— Tu sais que tu n'en feras rien, répliqua Annabelle en riant.

— Tu as raison. Bonne chance quand même et donne-moi des nouvelles de temps en temps.

Annabelle raccrocha dans un soupir, puis parcourut des yeux le festival de panneaux qui la surplombait. Avec sa ribambelle de halls et ses tableaux d'affichage sans cesse mis à jour dans toutes les langues, l'aéroport international Hartsfield-Jackson d'Atlanta pouvait facilement impressionner les visiteurs, mais toute cette agitation lui fit ressentir la chaleur d'une atmosphère familière. Malgré la lourde tâche qui l'y attendait, elle avait toujours eu un faible pour Atlanta. À dire vrai, elle avait toujours cru qu'elle y retournerait après ses études de droit, mais le poste aux affaires familiales de Detroit l'avait séduite – surtout parce que l'État lui permettait de rembourser son prêt étudiant au bout de deux ans de travail. Une année de faite, plus qu'une à tirer.

Au début, elle avait été écœurée de devoir assister au déballage de tous ces conflits familiaux, mais les quelques victoires morales qu'elle avait pu en tirer la conduisirent à penser que le jeu en valait la chandelle. Et pendant qu'elle s'occupait des problèmes des autres, elle avait énormément gagné en assurance. Elle réfutait tout bonnement la remarque de Domino qui l'avait accusée de porter un regard cynique sur les histoires d'amour – elle était seulement réaliste. Et les chiffres étaient loin de la contredire. Heureusement, elle avait dégoté une solution simple pour ses problèmes de cœur : elle ne sortait plus avec personne. Et elle se méfiait de ceux qui le faisaient.

Pour ce qui était de sa mère, eh bien... Belle traversait de toute évidence une crise de veuve quinquagénaire dont les enfants ont déserté la maison.

Annabelle se tourna vers la sortie qui menait aux transports en commun, et arrima sa sacoche d'ordinateur sur son épaule avant de se mettre en route. Pour réduire ses dépenses, elle pouvait emprunter le train régional Marta et aller aussi loin que la ligne nord avait avancé depuis sa dernière visite quelques années auparavant, puis prendre un taxi pour rejoindre le foyer de son enfance. Elle économisait ses récents bénéfices pour se payer l'acompte de sa maison et offrir une bonne voiture d'occasion à sa mère. En dehors de cela, son budget demeurait relativement serré, et le prix de son billet d'avion de dernière minute l'avait quelque peu refroidie. Elle espérait que la compagnie aérienne retrouverait rapidement ses bagages, car elle n'avait pas les moyens de se racheter toute une garde-robe, et elle ne pouvait passer les deux prochaines semaines dans sa tenue de voyage composée d'une large salopette en jean, d'un tee-shirt rose et de sandales compensées.

En arrivant sur le quai de la gare, elle fut frappée par la première brise d'un été précoce. Quelques mèches de ses cheveux bruns s'étaient échappées des barrettes qui parsemaient sa chevelure les jours où elle ne travaillait pas, et ses pointes fourchues lui chatouillèrent les narines. Elle les rabattit derrière ses oreilles, puis chaussa ses lunettes de soleil aux verres teintés de jaune pour se protéger du reflet aveuglant des bâtiments en béton. Un temps ensoleillé et sacrément chaud.

Annabelle ébaucha un sourire – bienvenue à Atlanta.

Quand le train s'immobilisa le long du quai, elle se mêla à la foule qui s'empressait de monter à bord des wagons et se laissa choir dans un fauteuil opposé au sens de la marche. Les passagers se dispersèrent pour occuper tout l'espace disponible, les portes se refermèrent et le train s'ébranla lentement.

L'échantillon de voyageurs présents était des plus diversifiés, allant de jeunes tatoués à des touristes aux yeux de merlan frit, en passant par des cadres stoïques. Annabelle adorait observer les gens et leur inventer des histoires en fonction de leur attitude.

La petite brune ignorant ses enfants turbulents se demandait où son mariage l'avait menée. Le couple de seniors blottis l'un contre l'autre rendait visite à leurs petits-enfants. Quant à l'homme d'affaires au visage impassible qui tapait des doigts sur sa montre hors de prix, il avait envie d'être ailleurs… avec sa maîtresse peut-être ?

Annabelle plissa les yeux. Non, sa mine grave était trop tendue pour qu'il pense à quoi que ce soit de sentimental. Son costume kaki et sa chemise blanche étaient impeccablement repassés, mais son nœud de cravate était lâche et, en regardant bien ses yeux noirs et son expression, on pouvait y déceler les signes d'un certain jet-lag. À travers la vitre en Plexiglas, il ne quittait pas du regard un point sur sa gauche, mais elle se doutait qu'il ne voyait rien des paysages flous qui défilaient sous ses yeux. Cet homme non rasé ne se rendait pas à une réunion… Peut-être à un enterrement ? L'imagination débordante d'Annabelle s'attela à ce sujet passionnant. Oui, il se rendait certainement à un enterrement. L'enterrement d'une personne qu'il ne considérait pas comme un proche, mais qui aurait dû l'être.

Il jeta un coup d'œil dans sa direction et la surprit en train de l'observer. L'intensité de son regard provoqua un frisson dans la nuque d'Annabelle. Elle déglutit, mais ne put se résoudre à détourner les yeux. Il était aussi attirant que le diable en personne. Son nez épaté, ses mâchoires puissantes et ses sourcils épais étaient disposés de sorte qu'un photographe passerait son chemin mais qu'un artiste tomberait en arrêt. Il faisait une tête de plus que la plupart des hommes et ses larges épaules débordaient sur les contours du siège vide attenant. Il avait un air vaguement familier, bien qu'Annabelle soit sûre de ne l'avoir jamais rencontré. Elle aurait pu lui poser la question, mais son visage sombre faisait office d'avertissement : « Approchez à vos risques et périls. »

Il lui jeta un regard distrait, ne s'arrêtant pas plus sur son visage que sur sa tenue, mais ses yeux s'attardèrent sur les pieds de la jeune femme. Au prix d'un effort surhumain, elle résista à l'envie de recroqueviller ses orteils pour les cacher. Deux jours plus tôt, dans le souci d'amadouer une ado de quatorze ans qui s'était enfermée dans les toilettes du tribunal alors qu'on attendait son témoignage, Annabelle avait suggéré une double pédicure improvisée quand un flacon de vernis à ongles bleu avait roulé hors du sac à dos de la jeune fille. Le stratagème avait fonctionné, et comme ses ballerines habituelles avaient dissimulé ces éclats colorés, Annabelle n'avait pas encore pris la peine de retirer le vernis.

L'homme fit la moue avant de regarder de nouveau par la fenêtre, l'air soucieux. Annabelle fut submergée par une sensation de gêne. Elle avait été scrutée par certains des juges et des avocats les plus intimidants de Detroit, mais elle ne s'était jamais sentie aussi mal à l'aise après un regard de quelques secondes. Quelle que soit la profession de cet homme, elle avait affaire soit à un minable fini soit à un businessman au succès phénoménal.

Ou, plus probablement, un minable qui avait eu du succès.

Elle s'efforça de concentrer son attention ailleurs pendant les quelques arrêts qui suivirent, mais elle avait pleinement conscience de la présence de cet homme à quelques mètres, à la fois par sa vision périphérique et par ce que l'on pourrait décrire comme une collision de champs de force. Le charisme de l'inconnu chamboulait tout sur son passage, son regard était impérieux, même quand il était focalisé sur autre chose. Énervée et embarrassée, Annabelle riva ses yeux sur une affiche de cinéma couverte de graffitis.

L'homme se leva quand le train ralentit à l'approche de l'arrêt du quartier financier, puis il s'empara d'un sac marin de cuir noir et d'une épaisse mallette. Du coin de l'œil, la jeune femme remarqua qu'il laissait descendre tout le monde avant de sortir du wagon. Mais sous cette apparente politesse elle démasqua une ruse pour garder le contrôle. Elle avait suffisamment étudié les comportements des gens pour savoir que les figures les plus influentes, dotées des plus grands pouvoirs quittaient toujours les pièces et les ascenseurs en dernier – tentative symbolique pour préserver leur pouvoir en assurant leurs arrières, selon Annabelle. Il s'éloigna, tête haute, connaissant apparemment son chemin par cœur, et monta les marches de l'escalier quatre à quatre avant de disparaître.

Quand les portes se furent refermées, l'absence de l'homme sembla laisser comme un vide, mais la jeune femme soupira de soulagement. Elle aurait détesté gérer ce genre de personnalité au tribunal. *Ou dans un lit*, lui chuchota son esprit qui ne cessait de vagabonder.

Tandis que le train poursuivait son cheminement vers le nord, elle repoussa l'image de l'étranger troublant qui se formait dans sa tête, se focalisant plutôt sur les variations subtiles du paysage qui défilait. Repérer les différents quartiers de la ville était aussi simple que d'observer les strates de roches sédimentaires retournées pour bâtir des maisons, des routes et des centres commerciaux. Le centre-ville d'Atlanta était prospère sur le plan économique et se distinguait par ses teintes grises et vertes, son béton et ses arbres.

Se souvenant de l'appréciation expéditive de l'homme du train, Annabelle se repoudra le nez et tâcha de se recoiffer du mieux qu'elle put face à son miroir de poche, puis elle réfléchit à la meilleure façon de gérer la situation qui l'attendait. Elle avait le cœur lourd en songeant à cette surprenante idée qu'avait eue Belle de se marier. Si elle avait passé plus de temps avec sa mère après la mort de son père, si elle lui avait rendu plus souvent visite, si elle l'avait encouragée à vendre leur vieille maison dont l'entretien coûtait une fortune, Belle n'aurait jamais rencontré Martin Castleberry et ne serait jamais tombée sous son charme. Et comme sa propre négligence n'était pas pour rien dans cet état de fait, il revenait à Annabelle d'aider sa mère en lui ouvrant les yeux sur le désastre qui l'attendait.

Elle avait donc l'intention de parler à Belle en toute honnêteté et de lui expliquer de but en blanc en quoi épouser Martin Castleberry serait une folie. Son opposition ne risquait-elle pas de renforcer la résolution de sa mère ? D'un autre côté, si cette situation n'était que le fruit de la solitude de Belle – comme s'en doutait Annabelle –, peut-être qu'elle pourrait user de psychologie inversée et feindre l'enthousiasme pour que sa mère prenne du recul et analyse la situation avec plus de discernement... Mais cette option demanderait à Annabelle de faire usage de talents d'actrice dépassant probablement ses limites, sans parler de l'effet désastreux que cela aurait sur sa santé mentale.

Au moment où le train atteignit le terminus nord, Annabelle avait décidé d'adopter une attitude empreinte d'un entrain réservé jusqu'à ce qu'elle comprenne mieux l'état d'esprit de sa mère. Elle descendit du train, sortit de la gare et héla un taxi. Pendant les quelques secondes qu'il fallut à la voiture pour s'arrêter, elle sentit quasiment ses taches de rousseur se former les unes après les autres sur le bout de son nez. Quand elle était plus jeune, des centaines d'applications de jus de citron avaient réduit l'intensité de ces taches qui apparaissaient surtout lors de ses compétitions et entraînements de natation en plein air, mais sa peau y restait sensible. Annabelle frotta son nez d'un doigt et poussa un soupir. Les taches de rousseur n'étaient pas compatibles avec l'allure sévère dont elle avait besoin pour son travail. Et cela ne l'aidait pas non plus à se sentir très mûre, ce qui devenait toujours plus difficile quand sa mère était dans les parages.

Au cours du trajet en taxi, elle s'entraîna mentalement à dire : « Bonjour, maman, je passais justement dans le quartier », mais elle était dans un état d'agitation avancé au moment où la voiture s'arrêta devant la familière maison blanche à volets rouges. Son cœur s'emballa quand elle régla le chauffeur. Elle sortit du véhicule et se laissa submerger par les souvenirs. Des voix, des odeurs et des images du passé surgirent pour la réconforter... Elle était ici chez elle.

L'allée était vide, mais sa mère lui avait dit qu'elle avait nettoyé le garage pour y garer sa voiture. En parcourant le trottoir, Annabelle regarda sur le côté et hocha la tête d'un air satisfait face à la maison tout droit sortie d'un magazine, dans un esprit ranch décontracté relativement réussi. De part et d'autre du porche se trouvaient des bacs contenant les plus grandes et plus belles plantes vivaces que Belle avait cumulées au fil des ans. Une vasque grise ornée d'une fée sur son piédestal était disposée sur la droite, fournissant de quoi manger à une flopée de papillons. Le jardin était impeccable, à l'exception d'une seule touffe de mauvaise herbe. Annabelle se pencha pour déraciner les herbes disgracieuses, acte qui lui aurait valu, à n'en pas douter, un sourire d'approbation de son père.

Je vais m'occuper d'elle, papa, comme je te l'ai promis.

Quand elle se releva, elle repéra à travers les arbres une bâtisse de deux étages à la façade stuquée dans les teintes saumon et elle fronça les sourcils. La demeure de Martin Castleberry, présumait-elle, d'après la description de sa mère. Cet homme avait certainement espionné sa voisine aux jumelles avant de lui proposer un rendez-vous.

Annabelle gravit les marches en pierre de la maison dans laquelle elle avait grandi, remarquant que la même pierre sur la même marche était toujours descellée – toujours assez pour que l'on puisse l'enlever et y déposer un petit message, comme elle le faisait pour communiquer avec son amie Lisa qui était sa plus proche voisine à cette époque. Mais Lisa et sa famille avaient déménagé dans l'Illinois quand les filles avaient huit ans et Annabelle ne comptait plus le nombre de fois où sa maison avait changé de propriétaires, comme c'était le cas de la plupart des bâtisses de leur quartier reculé, à mesure que les promoteurs immobiliers gagnaient du terrain. Aujourd'hui, la juxtaposition des diverses demeures pouvait se résumer à « *Maisons du Sud* rencontre *Elle Déco* ».

Elle pressa la sonnette et afficha un grand sourire, prête à enlacer sa mère dès qu'elle la verrait. Une minute plus tard, son sourire avait disparu et elle appuya de nouveau sur la sonnette. Où pouvait bien être sa mère à 2 heures de l'après-midi ? Un instant plus tard, elle se mordit la langue en comprenant. Certainement chez son petit ami. *Non, chez son fiancé*, se corrigea Annabelle avec une grimace. Elle n'avait jamais aimé ce mot snob et compliqué. *Fiancé.* Les Américains s'étaient contentés d'adopter la prononciation française pour atténuer les conséquences malheureuses sous-entendues dans ce terme : contraint, lié, piégé.

Elle souleva le heurtoir en cuivre brillant et frappa bruyamment à la porte. Elle finit par tirer des clés de son sac pour déverrouiller la porte d'entrée. Pensant que sa mère se trouvait peut-être dans le jardin, Annabelle traversa le salon pour se diriger vers la cuisine. En chemin, elle considéra les murs récemment repeints d'un œil critique – où étaient passées toutes les photos de son père ? Dans la cuisine, elle s'arrêta et scruta le plan de travail.

Était-ce un verre sale ? Et – elle dut se frotter les yeux – une petite assiette constellée de miettes ?

La seule réponse qui lui venait était la suivante : une personne très désordonnée avait, de toute évidence, enlevé sa mère et occupait son domicile.

Elle se dirigea vers la porte-fenêtre, l'ouvrit et sortit sur la terrasse que son père avait bâtie quelques années plus tôt.

— Maman ? hasarda Annabelle.

Le jardin était vide, mais elle s'arrêta pour admirer les deux rosiers que Belle avait plantés depuis sa dernière visite, un de rose pourpre de Damas et un autre de rouge Americana, si ses soins avaient abouti. Sa mère avait la main verte et ce jardin pittoresque reflétait son immense talent, des massifs de plantes vivaces aux rudbeckias. Annabelle parcourut des yeux l'espace réservé aux petits arbustes qui se transformait en zone boisée et fronça les sourcils en constatant qu'à un endroit l'herbe semblait rabattue, en direction de la maison saumon.

Bon sang, ils avaient littéralement créé un sentier entre leurs maisons.

L'arrière de la grande bâtisse était plus facile à observer depuis ce point de vue, ainsi que la haute barrière privative de ce qu'elle pensait être le jardin du voisin. Outre la taille impressionnante de la maison, des fenêtres palladiennes et un toit cuivré démarquaient clairement ce bâtiment du reste du quartier.

— Maman ? C'est moi, appela Annabelle en vain.

Mais elle fut presque soulagée de n'entendre aucune réponse – elle préférait parler à sa mère seule à seule avant de rencontrer le tristement célèbre M. Castleberry.

Sachant que sa mère ne devrait pas tarder à rentrer, elle revint sur ses pas et fit couler la douche de la salle de bains la plus proche de son ancienne chambre. Pendant que l'eau chauffait, elle accéda à la salle de bains de sa mère en quête d'un peignoir, mais au lieu des habituelles combinaisons en coton et robes de chambre molletonnées de Belle, elle ne trouva que des kimonos de soie. Et courts avec ça. Les yeux rivés sur la collection aux couleurs vives, elle choisit le plus modeste de tous – un kimono turquoise arrivant à mi-cuisse – et retourna à pas feutrés vers sa douche.

Quand l'idée lui traversa l'esprit que sa mère avait plus de lingerie qu'elle à sa disposition, Annabelle ferma très fort les yeux et frotta son crâne de plus belle.

* * *

Clay déverrouilla la porte de son loft et composa le code de l'alarme. Des odeurs de peinture fraîche l'assaillirent et le firent grogner – il avait oublié qu'il avait embauché quelqu'un pour repeindre son appartement pendant son séjour à Paris. Deux échelles, plusieurs énormes pots de peinture et des kilomètres de draps jonchaient le sol du couloir.

Ses reins étaient douloureux après le long voyage en avion, et il avait les yeux secs. Il posa son sac et sa mallette par terre, s'étira et bâilla. L'idée de piquer un somme dans son lit était très séduisante, mais il résista à la tentation, se défaisant de son costume pour se diriger vers la douche. Il avait des choses plus ou moins agréables à faire, et le plus tôt serait le mieux. Il pourrait ensuite dormir tranquillement. Pour le réveiller un peu plus, l'eau était encore froide quand il mit les pieds dans la cabine de verre et de chrome.

Il poussa un grognement en réaction à cette douloureuse surprise, puis étala de la mousse sur ses joues pour se raser. Son père avait bâti toute sa carrière autour de cette image d'Épinal du rebelle à la barbe de trois jours. Le visage de Clay comportant trop de ressemblances avec celui de son père pour qu'il en soit satisfait, il ne voulait en aucun cas encourager les gens à les comparer. Ce satané père – ne pouvait-il pas se comporter comme tout homme de soixante-quinze ans normalement constitué ? Passer son temps à bricoler dans un jardin, se plaindre de ne pas assez voir ses petits-enfants, se rendre au centre commercial tous les matins avant l'heure d'ouverture…

Un rictus amer s'esquissa sur son visage tandis qu'il se savonnait le torse. Son père mènerait toujours une vie mouvementée, et ce jusqu'à son dernier souffle, c'était une certitude. Clay espérait simplement que les circonstances de sa disparition ne seraient pas assez scandaleuses pour encourager la presse à en faire ses choux gras.

Se sentant rafraîchi, il enfila une tenue décontractée et sportive. Il aurait beaucoup aimé opter pour un jean après toutes ces journées en costume, mais il savait que son message passerait mieux s'il était vêtu avec plus de soin. Alors qu'il cirait ses chaussures, il appela un service d'annuaire téléphonique pour obtenir les coordonnées de « Belle Coakley ». Après quelques instants, on lui communiqua l'adresse postale et le numéro de téléphone demandés. Clay contacta ensuite sa banque pour prendre rendez-vous dans le but de retirer vingt mille dollars. Auparavant, il n'avait jamais eu besoin de débourser plus de dix mille dollars pour décider les conquêtes de son père à disparaître de la circulation, mais vu que la fiancée en question était une voisine, il valait mieux se montrer généreux pour la convaincre de passer de belles vacances loin d'Atlanta.

Clay extirpa ses clés de voiture et quitta l'appartement en passant par le garage. Il ne s'était pas servi de sa Mercedes depuis plus d'un mois. En réalité, à part pour les rares expéditions jusqu'à la maison de son père et quelques dîners ici et là, il avait l'habitude de voyager à pied ou de conduire son 4×4 pick-up noir. *Dommage*, songea-t-il en déverrouillant la portière de la berline argentée, *car c'est une « belle bête »* – comme le lui avait fait remarquer la dernière femme avec qui il avait eu un rendez-vous. Elle l'avait répété au moins cinq fois avant qu'ils arrivent au restaurant.

En chemin vers la maison de cette fameuse Coakley, argent à portée de main, Clay s'étonna de constater à quel point il avait pris l'habitude de toute cette machination au fil des ans : il retirait une somme en liquide, rendait visite à la chère et tendre de son père, lui servait une histoire bien ficelée visant à la convaincre de prendre l'argent et disparaître, puis il changeait les idées de son père pendant quelques jours, le temps d'un golf, d'un tennis improvisé ou d'un petit séjour aux sports d'hiver ou une croisière. Selon les réticences de son père et de la fille à mettre un terme à la relation, il pouvait embaucher un détective privé pour découvrir les secrets honteux de la jeune femme, puis présenter ces informations préjudiciables à son père avant qu'ils rentrent de leur escapade. Martin avait habituellement une première réaction de colère, mais il finissait souvent par tomber d'accord avec Clay et admettre que la relation en question n'aurait jamais marché avant de revenir gentiment à ses loisirs inoffensifs.

Clay était révolté à l'idée d'avoir à acheter ces croqueuses de diamants, mais il avait négocié chacun des accords de divorce de son père et savait que les contrats de mariage n'étaient pas gravés dans le marbre, surtout quand on connaît la tendance de Martin à faire de généreuses promesses sous l'emprise de la passion. Même en gérant personnellement les investissements de son père, leurs fonds familiaux s'étaient rapidement épuisés. Il pouvait largement subvenir aux besoins de son père, et le chèque récent qu'ils avaient touché à la suite du procès allait bien renflouer les poches de Martin, mais Clay avait décidé de mettre un terme à ces dépenses inconsidérées de vieux séducteur. C'est pourquoi le simple fait d'empêcher ce mariage semblait constituer la ligne de conduite la mieux indiquée.

Il ralentit pour lire les panneaux. Les ex-petites amies de Martin vivaient dans des appartements mal entretenus – voire pire –, ce qui expliqua sa surprise quand il découvrit que cette femme possédait une maison relativement belle dans un quartier respectable. Clay se demanda si cette bâtisse était un présent, ou peut-être un héritage du dernier petit ami plein aux as de la jeune femme. Il détestait se montrer cynique, mais il avait constaté que la plupart des femmes qui s'intéressaient à son naïf de père n'en étaient pas à leur première tentative de séduction d'un vieillard fortuné.

Il s'arrêta devant la coquette demeure blanche et sourit d'un air suffisant. *Comme c'est mignon*, songea-t-il, non sans ironie. Indifférent à ce charme, il se gara et sortit de sa voiture. À travers les grands pins, on pouvait distinguer le dernier étage de la maison de son père – qui était à lui en réalité, car il en avait assumé toutes les traites et en détenait le titre de propriété. Cette proximité était un facteur auquel il n'avait pas eu affaire auparavant, mais il trouverait bien une idée.

Clay respira une grande bouffée d'air tiède et monta l'escalier d'un pas lourd, haïssant un peu plus cette inconnue à mesure qu'il gravissait les marches. *Pourvu qu'il ne s'agisse pas encore d'une strip-teaseuse.*

Il appuya sur la sonnette, puis recula, se préparant à voir apparaître une jeune femme vulgaire. Blonde à forte poitrine, si son père s'en tenait à ses critères habituels. Aucune de ces qualités n'étant naturelle, bien entendu.

Au bout de quelques minutes, il sonna de nouveau. La jeune femme était certainement en train de se prélasser au bord de la piscine de son père. Comme il tournait les talons, une voix féminine étouffée se fit entendre à l'intérieur de la maison.

— Oui ?

Elle avait l'air jeune – bien évidemment.

— Mademoiselle Coakley, je suis venu vous parler de Martin Castleberry.

— Qui êtes-vous ? demanda-t-elle après avoir laissé planer un silence de quelques secondes.

— Clay Castleberry, son fils.

Il se sentait stupide de parler à travers la porte de cette façon, mais cela n'avait pas l'air de déranger son interlocutrice.

— J'ignorais qu'il avait un fils.

Clay se mordit la lèvre – cette voix et cette réplique ne laissaient pas présager un QI très élevé. Comment son père avait-il pu songer à épouser une femme et omettre de lui indiquer le détail non négligeable qu'il avait un fils. Bien sûr, Martin lui avait peut-être déjà dit, et elle avait simplement oublié. Si elle était si écervelée que ça, au moins, elle ne risquait pas de trop rechigner à empocher l'argent.

— Mademoiselle Coakley, il faut que nous parlions de ces fiançailles.

— Comment avez-vous su que j'étais ici ?

Il secoua la tête. Génial – non seulement elle était bête, mais en plus elle était parano. Il chercha péniblement une réponse susceptible de ne pas l'effrayer.

— C'est mon père qui me l'a dit.

La poignée grinça et la porte s'ouvrit.

— Je le savais… Il observe la maison avec des jumelles, n'est-ce pas ?

Clay battit des paupières et un éclair d'admiration masculine le traversa. Vêtue d'un peignoir court turquoise, ses cheveux bruns mouillés tombant sur ses épaules, Belle Coakley était une vision de toute beauté. Des yeux noisette illuminaient son visage fin, flanqués de longs cils noirs et d'une étendue surprenante de taches de rousseur sur l'arête de son petit nez. Clay sentit sa mémoire se manifester, mais il ne parvenait pas à trouver où il aurait bien pu rencontrer cette femme. Les goûts de son père en matière de maîtresses s'étaient nettement améliorés, mais elle ne pouvait pas avoir beaucoup plus de vingt-cinq ans. Une jeune femme de vingt-cinq ans idiote, paranoïaque et en rogne.

— N'est-ce pas ? répéta-t-elle d'un air renfrogné en avançant d'un pas.

Entrapercevant la cuisse de la jeune femme, Clay sentit son esprit divaguer.

— Pardon ?

— Ne jouez pas aux innocents avec moi, monsieur, menaça-t-elle en plissant les yeux.

— Je ne suis au courant d'aucune paire de jumelles, assura Clay qui sentait sa propre colère s'amplifier, mais ne souhaitait pas ajouter d'huile sur le feu.

— Alors, Cliff, de quoi vouliez-vous parler ? l'interrogea-t-elle en croisant les bras.

— C'est Clay, corrigea-t-il en sentant une vague de chaleur gagner sa nuque.

Elle se contenta de hausser légèrement un sourcil.

Au cours de ses missions consistant à convaincre des sociétés de capital-risque d'investir dans les projets de ses clients, Clay était passé maître dans l'interprétation des expressions des personnes, et ce tout petit tic était celui qui le mettait le plus hors de lui. Il examina la posture déterminée du menton de la jeune femme et fut parcouru par l'inquiétante prémonition que celle qui se tenait face à lui avait le potentiel pour faire bien plus de ravages dans le clan Castleberry qu'il n'était prêt à le gérer. Plus vite il se débarrasserait des présentations, mieux ce serait.

— Mademoiselle Coakley, j'ai une proposition à vous faire.

Chapitre 3

Annabelle considéra l'homme imposant qui l'avait si impitoyablement ignorée dans le train. Le simple fait qu'il ne la reconnaisse pas la vexait au plus haut point. Le goujat. Pas étonnant qu'il lui semble familier : Clay Castleberry ressemblait trait pour trait à son célèbre père et, vu ses déclarations provocantes, il avait hérité du même caractère.

— Une proposition ? demanda-t-elle.

— Nous devrions peut-être nous installer à l'intérieur, suggéra-t-il.

Elle hésita. Son attitude arrogante avait déclenché toute une série d'avertissements et tous les voyants rouges s'affolaient dans la tête d'Annabelle. Néanmoins, tout ce qu'elle pourrait découvrir sur la famille Castleberry lui fournirait de précieuses munitions pour ramener Belle à la raison. Sans un mot, elle fit un geste vers l'intérieur de la maison, puis s'effaça pour le laisser entrer. Annabelle s'adossa à la porte pour éviter tout contact avec son visiteur, mais par sa simple présence, elle avait l'impression qu'il l'effleurait des doigts, ce qui fit monter en elle une alarmante vague d'émotion, qu'elle attribua à ses trop nombreuses soirées en tête à tête avec son chat.

Il avait échangé son costume contre un pantalon couleur taupe et une chemise jaune pâle – à la coupe élégante et au prix prohibitif, pensa-t-elle. Il était grand, mesurant probablement entre un mètre quatre-vingt-cinq et un mètre quatre-vingt-dix, le tissu de ses vêtements se tendait sur ses épaules et ses cuisses musclées lorsqu'il se déplaçait. Elle se demanda ce qu'il faisait dans la vie qui lui permettait de passer tant de temps à faire du sport pour entretenir cette forme olympique. Inclinant la tête, Annabelle remarqua sa chevelure à la coupe impeccable, sa peau hâlée et son air sûr de lui – après tout, monsieur le riche héritier était peut-être le propriétaire d'une salle de gym.

Elle lui emboîta le pas pour pénétrer dans le salon, puis elle indiqua d'un geste le canapé et les fauteuils en toile imprimée.

—Asseyez-vous, suggéra-t-elle.

Il parcourut la pièce d'un rapide coup d'œil, puis se tourna vers le centre du grand tapis du salon pour lui faire face.

—Je vais rester debout.

Elle demeura dans l'encadrement de la porte, à quelques enjambées de l'entrée qu'elle avait laissée entrebâillée. Pour sûr ! Une femme ne se montrerait jamais trop prudente en la présence d'un Castleberry.

—Comme vous voudrez, concéda-t-elle.

Clay la détailla des pieds à la tête avec une déconcertante sensation de déjà-vu. Elle avait pris le temps de dissimuler ses orteils dans une paire de pantoufles de sa mère qu'elle avait trouvée dans le couloir. Il fallait admettre que les mules blanches rehaussées de fourrure faisaient un peu nunuche, mais au moins ses ongles peints en bleu étaient bien à l'abri. Elle renoua la ceinture de son peignoir pour éviter tout accident et s'approcha.

— Alors, de quoi s'agit-il, monsieur Castleberry ?

Il afficha une moue, comme s'il pesait longuement ses mots, puis son visage se figea, telle une statue de pierre. Il sortit une volumineuse enveloppe de sa poche avant et la lui tendit.

Mal à l'aise, Annabelle s'empara du petit paquet.

— Est-ce que c'est une sorte de dossier ? demanda-t-elle.

— Ouvrez-la, intima-t-il.

Elle n'appréciait pas le ton de sa voix, mais elle fit glisser un ongle sous le rabat de l'enveloppe. Son cœur battit la chamade quand elle aperçut un billet de cent dollars – il y en avait beaucoup d'autres –, et elle manqua de faire tomber le paquet.

— Qu'est-ce que c'est que ça ? s'enquit-elle.

— Vingt mille dollars. Ils sont à vous, mademoiselle Coakley, si vous cessez cette petite mascarade, expliqua-t-il sans l'ombre d'un sourire.

Annabelle fut si étonnée qu'elle en eut la gorge nouée et les idées confuses.

Le visage de l'homme s'apaisa l'espace d'une fraction de seconde.

— Mon père est un vieillard gentil et naïf, une proie facile pour les jeunes femmes prétendument sous le charme de sa gloire passée, déclara-t-il d'une voix grave et rassurante, comme s'il s'adressait à une enfant. Mais, croyez-moi, dans l'intérêt de toutes les personnes concernées, il vaudrait mieux que vous empochiez cet argent et que vous disparaissiez quelques semaines.

Elle secoua la tête en signe de refus.

— Ne soyez pas si pressée, lui conseilla-t-il. C'est là un service que je vous rends. Après tout, quel genre de vie mènerait une jeune femme comme vous avec un vieil homme de soixante-quinze ans ?

Annabelle ne le quitta pas des yeux jusqu'à ce que sa colère et son incrédulité s'atténuent. Cet homme ne pouvait quand même pas croire qu'elle était sa mère ? Elle considéra l'argent qu'elle tenait dans ses mains, puis examina Clay Castleberry.

— Cela n'est pas sérieux, dit-elle.

— Oh, c'est on ne peut plus sérieux, rétorqua-t-il en lui jetant un regard perçant.

— Vous m'offrez vingt mille dollars ?

Il s'approcha, empiétant sur l'espace vital d'Annabelle, et son expression se fit moqueuse.

— Cela ne suffit pas à vous faire oublier ce grand amour ? lança-t-il d'une voix qui n'avait plus rien de doux et semblait plutôt devenir grinçante.

Il se tint si près d'elle qu'elle pouvait sentir son souffle chaud contre sa peau.

— Épargnez-moi vos contes de fées, mademoiselle Coakley. Mon père est romantique, mais pas moi – je n'ai jamais cru aux histoires d'amour qui finissent bien, déclara-t-il.

Il fournissait là à Annabelle un bel aperçu du genre de famille dans laquelle sa mère s'apprêtait à mettre les pieds, ce qui lui donnait un autre motif pour empêcher Belle de se marier. Savoir que Clay Castleberry avait si grossièrement mal interprété toute la situation l'encouragea – c'était elle qui avait l'avantage ici.

— Et qu'attendez-vous de moi en échange de ce paiement ? demanda-t-elle après une pause convenue.

Elle afficha un sourire mielleux – heureusement, son travail d'avocate lui avait appris à maîtriser certaines techniques théâtrales.

Clay ne souriait pas, mais un air de triomphe sembla légèrement soulever les commissures de ses lèvres.

— Vous allez rompre les fiançailles et quitter la ville pour un moment, indiqua-t-il avant de s'arrêter, comme s'il voulait lui laisser le temps de mémoriser ses instructions – cet homme était visiblement habitué à donner des ordres.

— Ensuite, j'emmènerai Martin en vacances pour lui changer les idées, ajouta-t-il. Quand il reviendra, vous aurez changé de numéro de téléphone et resterez indifférente à ses attentions. C'est compris ?

Se sentant singulièrement joueuse, Annabelle fit passer son pouce sur le tas de billets.

— Et si je n'en fais rien ? s'enquit-elle.

Il se pencha pour s'approcher d'elle et poser une main sur le mur au-dessus de son épaule. En un demi-tour, elle aurait pu échapper à son imposante présence, mais elle demeura figée dans sa surprise. La respiration de la jeune femme s'accéléra à mesure qu'elle prenait conscience du peu de vêtements couvrant sa nudité. Les yeux de son interlocuteur n'étaient pas noirs en fin de compte, mais d'un bleu profond, et les ridules qui les entouraient indiquaient qu'il devait avoir dans les trente-cinq ans. Sa peau dégageait une odeur mentholée – *de la mousse à raser*, pensa-t-elle, n'apercevant pas l'ombre d'un poil sur sa mâchoire serrée.

— Si vous n'en faites rien, murmura-t-il, les lèvres pincées, je risque de, comment dire… vous compliquer la vie.

Elle réfléchit aux choix qui s'offraient à elle et décida que la meilleure chose à faire était encore de lui rire au nez – c'était tout ce qu'il méritait. Elle entrouvrit la bouche.

— Vingt-cinq mille, susurra-t-il d'une voix aussi sensuelle que s'il lui adressait un vibrant compliment. Pas un dollar de plus.

Alors que sa fureur commençait à se déchaîner, son corps réagit traîtreusement à la troublante proximité de l'homme. Annabelle s'humecta les lèvres, succombant à l'envie perverse de provoquer ce petit arrogant.

— Et si je vous disais que je suis vouée corps et âme à votre père ?

* * *

L'espace de quelques secondes, Clay fut en proie à la panique. Cette femme avait manifestement plus de cran que les autres – se pouvait-il qu'elle soit réellement attachée à Martin, ou était-elle simplement plus déterminée ? Il scruta son visage à la recherche d'une once de sincérité, mais son regard était voilé d'un mystère impénétrable. Quelques mèches de ses cheveux châtain encadraient son visage au modelé singulièrement élégant. Sa peau diaphane brillait de propreté, faisant ressortir ses joues roses et ses taches de rousseur. Une odeur de talc lui monta aux narines, rappelant à Clay qu'elle sortait tout juste de sa douche et qu'elle était très probablement entièrement nue sous son peignoir. Combien de fois son père l'avait-il vue porter ce déshabillé... ou ne rien porter du tout ?

Clay céda à un accès de jalousie, mais la colère chassa ces sentiments déplacés quand il comprit que cette femme éprouverait le plus grand plaisir en découvrant qu'elle pouvait manipuler les Castleberry père et fils. Luttant pour reprendre le contrôle de la situation, les yeux du jeune homme s'illuminèrent en s'attardant sur les lèvres charnues et rosées d'Annabelle. Sous le coup d'une impulsion, il enroula sa main autour de la nuque de la jeune femme et l'attira pour poser sa bouche sur la sienne. Il n'avait aucune raison d'hésiter – ses instincts ne le trompaient jamais.

Clay apprécia une douceur savoureuse et de délicats arômes avant même de réaliser qu'il était en train de l'embrasser. Elle haleta et se raidit, mais il s'empara de ses mains et maintint ses lèvres sur celles de la jeune femme tandis qu'elle tentait de l'esquiver, pressant ses épaules contre le mur. Elle émit un gémissement et tenta de le mordre, mais il recula la tête et l'immobilisa en coinçant ses jambes à l'aide des siennes, maintenant une pression constante, mais ténue sur ses lèvres.

La résistance de la jeune femme finit par s'estomper et elle se détendit sous l'effet de ses caresses persuasives. Clay adoucit son baiser et la cajola de sa langue jusqu'à ce qu'Annabelle apporte sa participation active à ce baiser. Il avait prouvé ce qu'il voulait, mais il prolongea leur étreinte pour savourer cette réussite. Quand il releva la tête, la vision du visage empourpré de la jeune femme, de sa chevelure ébouriffée et de ses lèvres gonflées amplifia le désir que ressentait Clay. Le peignoir s'ouvrait juste assez pour dévoiler la naissance des seins d'Annabelle. Il sentit son corps réagir et faillit l'embrasser une nouvelle fois. Au lieu de cela, toujours penché sur elle, leurs doigts entremêlés, Clay ébaucha un sourire satisfait.

— Vouée corps et âme à mon père, disiez-vous ?

— Vous êtes odieux, déclara-t-elle en plissant les yeux.

Un instant, Clay pensa qu'elle allait lui cracher au visage, et cette idée l'amusa. Il éclata de rire alors qu'il la libérait et reculait d'un pas. L'argent était tombé par terre et les billets s'étaient répandus, tels de vieux papiers qui traînaient. Elle se retourna pour rajuster son peignoir d'un geste maladroit. Il ramassa l'argent, tâchant de ne pas dévorer des yeux ses mollets galbés et ses fines chevilles juchés sur ces chaussures ridicules. Égalisant les piles de dollars sur le buffet en acajou, Clay songea que ce baiser improvisé valait bien les cinq mille de plus. À vrai dire, son père lui devrait une fière chandelle si ce baiser passionné était à l'image de ceux qu'elle lui administrait, Clay lui épargnait là le risque de succomber à une crise cardiaque au beau milieu de leur lune de miel.

— Sommes-nous d'accord, mademoiselle Coakley ? demanda-t-il.

Elle lui tournait toujours le dos, reprenant son souffle, mais, à ces paroles, elle se retourna. Tout son être émettait des ondes de fureur qui emplissaient la pièce.

— Récupérez votre argent sale et sortez d'ici !

Clay réprima sa colère, ne perdant pas de vue son objectif.

— Profiter de l'hospitalité et de la générosité de mon père vous amuse peut-être pour l'instant, dit-il patiemment, mais j'ai une mauvaise nouvelle pour vous, mademoiselle Coakley. C'est moi qui suis propriétaire de la maison, de la piscine et de tous les autres joujoux qui, je n'en doute pas, vous fascinent. Il se trouve que c'est moi qui tiens les cordons de la bourse de mon père. J'ai déjà eu affaire à des femmes de votre genre, et je peux vous assurer que votre place n'est pas dans cette famille. Nous n'aimons pas les pièces rapportées.

— Partez immédiatement ou j'appelle la police, le prévint-elle, les lèvres pincées.

Dans un grincement de dents, il s'avança lentement, comptant ostensiblement les billets.

— Je commençais à penser que vous étiez plus maligne que les autres. Je me serais donc trompé ?

Elle tendit la main vers le téléphone, mais il réagit immédiatement et posa sa main sur celle de la jeune femme, l'empêchant de décrocher le combiné. La main d'Annabelle était petite et dépourvue de bagues, et sa peau était chaude – ou était-ce lui qui avait chaud ? Il brandit une liasse de billets de sa main libre.

— Si vous ne coopérez pas, mademoiselle Coakley, vous allez le regretter.

Ils s'affrontèrent du regard et une horloge marqua d'un son éloigné chaque seconde qui s'écoulait. Clay se rendit compte qu'il retenait son souffle. Bon sang, elle était vraiment ravissante !

— Je regrette déjà de vous avoir rencontré, monsieur Castleberry. Maintenant, bas les pattes !

lança-t-elle, la poitrine soulevée par sa respiration haletante.

Sa mâchoire crispée faisait ressortir ses pommettes, donnant l'impression qu'elle avait des fossettes. Il mourait d'envie de l'embrasser une nouvelle fois, mais il savait reconnaître une mine obstinée quand il en voyait une et il relâcha son étreinte. De guerre lasse, Clay fourra l'argent dans sa poche, prêt à capituler cette fois-ci devant l'imbécillité de son père. Martin s'était montré parfaitement irresponsable depuis que la mère de Clay était décédée, et ce dernier était las de toujours devoir passer derrière son père. Cette jeune femme promettait d'être une belle épine au pied pour lui, et il n'avait pas envie de s'embêter avec cela. Mais des sentiments protecteurs envers son père étaient profondément enfouis en lui et le poussaient à aiguillonner la jeune femme une dernière fois.

— Par ailleurs, je ne manquerai pas d'indiquer à Martin à quel point vous lui êtes dévouée.

Il vit la main d'Annabelle s'avancer et la laissa lui administrer une gifle retentissante. En vérité, il n'en attendait pas moins d'elle. Clay frotta sa joue brûlante.

— Annabelle ?

Au son d'une autre voix féminine, Clay se précipita vers la porte d'entrée. Une femme d'une cinquantaine d'années se tenait sur le seuil, son visage trahissant une grande surprise et ses yeux allant et venant entre lui et celle qui l'avait giflé.

L'espace de quelques secondes, personne n'osa parler, puis la jeune femme en peignoir émit un rire légèrement nerveux.

— Surprise… maman. Je me suis dit que nous pourrions passer un peu de temps ensemble avant… tu sais.

Leur embrassade sembla un tantinet gauche, même si elles étaient manifestement heureuses de se voir.

En voyant son père s'avancer derrière la femme mûre, Clay parut doublement confus. Il écarquilla les yeux, cherchant à comprendre.

— Clayton ? Je me disais bien que j'avais reconnu ta voiture dans la rue. Que fais-tu ici, mon fils ? s'enquit Martin.

Clay chercha une excuse appropriée, les idées se bousculant dans sa tête.

— Mon, euh… mon voyage à Paris a pris fin plus tôt que prévu.

— Mais que fais-tu ici, chez Belle ? s'enquit Martin Castleberry, les sourcils froncés.

Il posa une main sur l'épaule de la femme d'âge mûr, et Clay eut l'effroyable intuition que quelque chose ne tournait pas rond. Il jeta un regard sur la jeune femme, son air satisfait renforça ses soupçons. Elle leva le menton dans une expression signifiant : « Eh bien, on attend. »

— Eh bien, je… C'est que, nous…

— Vous n'allez pas le croire, l'interrompit la jeune femme sans le quitter des yeux une seule seconde.

Clay et moi nous sommes rencontrés par hasard dans le train venant de l'aéroport et il m'a proposé de m'accompagner. Sacrée coïncidence, hein ?

Clay cligna des yeux et un souvenir lui revint sous la forme d'une femme élancée vêtue d'une salopette qui l'avait dévisagé dans le train. Dans sa tête, il lui retira ses lunettes de soleil jaunes, lâcha ses cheveux qui étaient relevés et remplaça ses vêtements amples par le peignoir soyeux. Il ne pouvait voir si ses orteils avaient les ongles bleus, mais c'était bien la même femme, voilà qui était clair. Bonté divine ! Elle devait savoir qui il était depuis le tout début.

La femme plus âgée lança un regard inquiet sur le court peignoir, puis afficha un sourire quelque peu hésitant.

— Martin, je te présente ma fille, Annabelle.

— C'est un plaisir de faire votre connaissance, déclara Martin avec un grand sourire en lui tendant la main. Belle m'a tellement parlé de vous.

Il leva les yeux sur Clay dont le corps tout entier était comme paralysé par la catastrophe qui s'annonçait.

— Clay, je te présente la femme la plus importante de ma vie, déclara Martin en pressant l'épaule de sa compagne. Voici Belle Coakley, ma fiancée.

Clay remua les lèvres et il étouffa une plaisanterie imbécile entre ses dents. Pendant ce temps, son cœur battait la chamade et le rouge lui montait aux joues. Annabelle Coakley semblait vivement apprécier ce supplice qu'elle lui avait imposé. Clay serra les dents, les joues toujours échauffées par la claque qu'elle lui avait administrée. Il avait confondu la fille et la mère, et la petite maligne s'était amusée à jouer le jeu. Quel autre genre de tour pouvait-elle bien avoir dans son sac ? Pensait-elle qu'elle pourrait lui extorquer plus d'argent qu'il n'en avait offert ?

Belle battit des mains.

— Oh, n'est-ce pas là la plus merveilleuse des coïncidences ? Annabelle est arrivée plus tôt que prévu et Clayton est rentré de Paris. Tous les deux, vous allez pouvoir nous aider à préparer la cérémonie, déclara-t-elle, ses fossettes se creusant. Nous allons pouvoir faire connaissance tous ensemble.

Elle prit de nouveau Annabelle dans ses bras, ce qui offrit à Clay une vue imprenable sur le galbe des cuisses de la jeune femme. Il détourna le regard et adressa un sourire crispé à son père.

Martin le rejoignit pour le gratifier d'une tape dans le dos.

— Notre mariage était censé être une surprise, mon fils, mais je suis aux anges de t'avoir avec moi ! Cette fois-ci, c'est la bonne, Clay, ajouta-t-il sur le ton de la confidence. Regarde-la un peu, n'est-elle pas magnifique ?

Clay considéra les deux femmes qui se tenaient bras dessus bras dessous, mais son attention ne cessait de dériver vers l'adorable brunette qui s'était jouée de lui. Annabelle arborait un air d'aversion savamment dissimulé.

— D'accord, elle est magnifique, concéda Clay.

— C’est un billet de cent dollars ? s’étonna Belle en se penchant pour ramasser un billet qui traînait sur le carrelage de l’entrée.

Le sang de Clay ne fit qu’un tour, et la liasse de liquide dans sa poche se mit à lui brûler la cuisse.

— Oh, c’est à moi, affirma Annabelle. Il a dû m’échapper. Je… n’ai pas de poches, expliqua-t-elle avec un geste désignant son peignoir, comme si cela tombait sous le sens. En réalité…, ajouta-t-elle avec un grand sourire, je voulais vous inviter à déjeuner.

Clay leva les yeux au ciel – quelle générosité de sa part !

— Fantastique ! s’exclama Martin, visiblement ravi. Faisons-nous livrer quelque chose que l’on pourra manger au bord de la piscine. C’est le cadre idéal pour que tout le monde se raconte sa vie, précisa-t-il avec un sourire. Je suis si content que vous vous soyez déjà rencontrés, les enfants. Quelle heureuse coïncidence ! Cela doit être un bon présage. Nous allons nous voir bien plus souvent à l’avenir – les week-ends, peut-être même pour des vacances en famille.

Clay fit la grimace.

— Imaginez un peu, lança Belle, d’humeur aussi exaltée que son fiancé tandis qu’elle serrait Annabelle encore plus fort contre elle, c’est la fin de nos solitudes respectives – nous allons former une grande et heureuse famille.

Mais d'un seul regard sur les yeux plissés d'Annabelle Coakley et sa bouche chiffonnée par son baiser volé, Clay se sentit décidément loin d'être heureux.

Chapitre 4

— Maman, déclara Annabelle en s'emparant d'un petit bikini rose vif. Je ne pense pas que ce soit une bonne idée.

— Tu as raison, concéda Belle, affichant une moue et hochant la tête. Ce rose ne te sied pas au teint. Essaie le maillot vert, ma chérie.

Puis sa mère se retourna vers le miroir de la commode pour mettre de l'ordre dans sa chevelure qui, depuis la dernière visite d'Annabelle, était passée d'une teinte poivre et sel à une couleur à mi-chemin entre le beurre de baratte et la margarine.

Annabelle remit le microscopique maillot de bain sur son cintre dans le placard du *poolhouse* des Castleberry et prit une profonde inspiration, espérant y trouver un peu de patience.

— Je voulais parler du fait de passer l'après-midi avec les Castleberry – ce n'est pas une bonne idée.

Le miroitement de la piscine bleu turquoise accrocha son regard à travers la fenêtre aux stores baissés. Cette vue autrement apaisante lui restait en travers de la gorge, tout comme l'aisance avec laquelle sa mère évoluait dans la résidence de cet homme, et même les luxueux aménagements du *poolhouse*. Du mobilier en cuir, du papier peint pastel, des œuvres d'art authentiques, des tomettes – ce lieu était encore plus beau que la maison qu'elle s'évertuait à acheter.

— Et si on filait plutôt à Buckhead toutes les deux pour le déjeuner ?

Un éclair de déception traversa les yeux bleu clair de Belle. Ses pâles sourcils suivaient une ligne impeccable et, merveille des merveilles, elle portait de l'eye-liner – violet par-dessus le marché.

— Oh, mais Martin veut vraiment faire ta connaissance, et je suis sûre que toi aussi tu vas l'adorer. On pourra aller en ville toutes les deux demain, on aura toute la journée devant nous pour en profiter, suggéra Belle avant de se lever et de s'approcher d'Annabelle.

La silhouette de sa mère aussi avait radicalement changé – certainement grâce à ses nouveaux cours de kickboxing.

Annabelle tenta de ne pas faire la grimace en voyant le solitaire que sa mère portait à l'annulaire quand cette dernière prit ses mains dans les siennes.

— Ma chérie, c'est peut-être la seule chance que j'aurai de bavarder avec Clayton avant qu'il retourne à Paris. Ensuite, on pourra passer tout notre temps ensemble pendant la semaine précédant le mariage. Peut-être qu'on pourrait te chercher quelques vêtements demain, ajouta-t-elle en lançant un regard inquiet sur la salopette d'Annabelle.

La jeune femme esquissa un sourire – voilà, c'était là la mère dont elle se souvenait.

— Avec un peu de chance, la compagnie aérienne aura retrouvé mes bagages d'ici là.

Belle tendit la main pour libérer les cheveux d'Annabelle de sa barrette.

— Il est plutôt séduisant, tu ne trouves pas ? demanda-t-elle.

— Qui ça ? s'enquit Annabelle en fronçant les sourcils.

— Clayton.

— Je n'ai pas fait attention, répondit la jeune femme en fronçant les sourcils de plus belle.

J'étais trop occupée à compter les billets avec lesquels il voulait m'acheter et à repousser ses avances.

— Il me rappelle Martin à l'époque de *Streetwise*, déclara Belle, l'air rêveur. Martin avait une telle classe – je crois que j'ai vu ce film une bonne dizaine de fois quand il est sorti au cinéma.

— Il ne jouait pas le rôle d'un arnaqueur coureur de jupons ? s'enquit Annabelle.

Bon, d'accord, je n'avais peut-être pas tant lutté que ça contre Clay, mais je suis loin d'avoir apprécié ce baiser.

— Mais il se reprend en main à la fin, objecta Belle dans un soupir. La vie nous réserve de sacrées surprises, n'est-ce pas ? Imagine un peu, je vais épouser une star de cinéma.

Un début de migraine prit d'assaut les tempes d'Annabelle. Ce mariage était bel et bien monté à la tête de sa mère. Bon, on pouvait admettre que la splendeur de la demeure de Martin – ou plutôt de son fils, si Clay avait dit vrai –, était impressionnante, mais Belle ne pouvait pas être éblouie au point d'en être devenue complètement aveugle.

— Et ta vedette du cinéma t'a-t-elle demandé de signer un contrat de mariage ?

— Non, répondit Belle dont la bouche fardée s'abaissa. Je le lui ai proposé, mais il a refusé.

Elle se tourna pour parcourir la série de maillots de bain de toutes les couleurs suspendus dans le placard, puis elle sélectionna un maillot une-pièce vert luisant et le posa sur la poitrine d'Annabelle.

— Essaie celui-ci, recommanda Belle.

— Maman, répliqua Annabelle avec prudence, quel genre d'homme a chez lui une armoire pleine à craquer de bikinis ?

— Il ne faut pas lui en tenir rigueur, ma chérie, riposta Belle en riant simplement. Il a l'habitude de s'attirer la faveur des dames.

— Je vois, rétorqua Annabelle en dévisageant sa mère avant de s'humecter les lèvres. Et tu penses qu'il continuera sur cette voie après le mariage ?

— Cela ne me regarde vraiment pas, déclara Belle en haussant les épaules.

C'était cette même femme qui lui avait conseillé de laisser tomber Billy Hardigan en première parce qu'il avait envoyé une carte de Saint-Valentin à Jill Normandy, vraiment ?

— N'aie pas l'air si étonnée, ma chérie. C'est un adulte responsable, et avec l'âge je suis aussi moins à cheval sur les principes.

Annabelle prit une inspiration, avec l'envie de se boucher les oreilles pour ne pas entendre sa mère.

— Maman, il faut qu'on parle...

— Allez, ma chérie, implora Belle. Passons l'après-midi ensemble à nous détendre au bord de la piscine, et ce soir nous pourrons avoir cette longue conversation, d'accord ?

Croisant le regard de velours de Belle, Annabelle céda. Sa mère ne lui avait jamais rien demandé de toute sa vie. En outre, elle n'était pas pressée d'en arriver au désaccord sur lequel elle était sûre que cette discussion aboutirait. Et elle ne voulait pas qu'on puisse l'accuser de n'avoir laissé aucune chance à Martin. Se remémorant le choix qu'elle avait fait auparavant consistant à réagir avec un enthousiasme réservé, elle hocha la tête.

— C'est bien parce que c'est toi.

Sa mère ébaucha un grand sourire et l'embrassa sur la joue.

— Merci, mon ange, dit-elle. Je vais nous préparer du thé glacé et on se retrouve au bord de la piscine.

Annabelle regarda Belle se faufiler par la porte et résista à l'envie enfantine de courir après elle pour se jeter dans ses jupons. Luttant contre une subite montée de larmes de panique, elle s'effondra dans une chaise de couleur beige et couvrit son visage de ses mains. C'était la première fois qu'elle se rendait compte à quel point sa mère avait dû se faire du souci pour elle au fil des ans. Qu'y a-t-il de pire que de voir une personne que l'on aime faire une énorme erreur ?

Elle retenait cette leçon, songea-t-elle tristement : quand on tient à quelqu'un, on n'échappe pas à certaines inquiétudes.

Quelques instants plus tard, elle inspira profondément et leva la tête. Rester assise là à s'apitoyer sur son sort ne l'aiderait en rien à tenir la promesse faite à son père. Elle se dévêtit lentement et enfila le maillot de bain vert après l'avoir inspecté dans les moindres détails. Alors qu'elle réglait les bretelles et ajustait le tissu superflu sur sa poitrine, elle se fit la remarque amère que Martin avait manifestement l'habitude d'accueillir chez lui des femmes plantureuses. Ayant passé le plus clair de sa jeunesse en tenue de natation réglementaire, elle se sentait nue dans ce maillot échancré couleur émeraude qui semblait plus propice à une séance photo qu'à une séance de natation. Comment sa mère pouvait-elle fermer les yeux sur les tendances de Martin ? Croyait-elle en toute honnêteté que cet homme avait changé ?

Les idées se bousculaient dans l'esprit d'Annabelle, les diverses situations se mêlant entre elles. Elle espérait qu'une sorte de solution miracle mettrait fin à ce tohu-bohu. Elle n'avait pas compté avec la présence de Clay Castleberry, et même si lui aussi semblait déterminé à empêcher le mariage de leurs parents, elle lui en voulait de s'imaginer qu'elle et sa mère étaient le genre de femme que l'on pouvait acheter. Elle esquissa un demi-sourire en repensant au quiproquo du matin, mais le souvenir de son baiser insistant lui rappela qu'il lui avait joué un sacré tour, lui aussi. Aucun homme n'avait jamais osé l'embrasser avec une telle autorité, et elle était choquée par son absence de réaction. Ce play-boy l'avait simplement prise par surprise, raisonna-t-elle. Maintenant qu'elle savait à quel genre de personnage elle avait à faire, elle resterait sur ses gardes.

Elle n'avait pas encore dévoilé à Belle sa tentative d'acheter sa disparition. Pour dissuader sa mère de se marier, elle aurait besoin d'avoir de quoi incriminer le père Castleberry, pas le fils.

Le fils.

Annabelle afficha une moue irritée. Cet homme lui avait fait perdre son aplomb et son instinct lui dictait de ne plus penser à cet incident dans l'immédiat et de le garder pour elle dans le cas où elle devrait faire pression sur lui ultérieurement. Quelques minutes en sa compagnie suffirent à renforcer sa conviction que la plupart des hommes et des femmes de notre époque étaient bien plus heureux célibataires – surtout chez les Castleberry et les Coakley. Selon Annabelle, l'institution matrimoniale se limitait désormais à un vaste banquet organisé par des couples désireux de se faire du mal.

La jeune femme tira sur le minuscule bas de son maillot et fronça les sourcils. Elle ne permettrait pas à sa mère de se laisser emballer par un don Juan beau parleur, et les interventions de Clay Castleberry ne feraient qu'empirer les choses. De rage, elle serra les dents – si seulement elle pouvait faire disparaître cet odieux personnage en un claquement de doigts !

Et le souvenir de son baiser volé avec.

* * *

Clay passa les doigts sur le mur lisse et coloré de la piscine, puis s'immergea d'un seul coup. D'une puissante impulsion du pied, il poussa le rebord pour nager vers le petit bassin, s'amusant du bruit des vaguelettes passant sous ses oreilles et sur la surface de son dos. Quand il atteignit le bord opposé, il essuya l'eau qu'il avait dans les yeux et inclina la tête en arrière.

Le ciel était dégagé, la température de l'après-midi atteignait une trentaine de degrés et une brise méridionale soulevait les épines des grands pins qui bordaient la maison. Une journée parfaite… et un parfait bazar.

Annabelle Coakley était venue s'assurer que sa mère récolterait un maximum d'argent de son père et, à peine descendu de son avion, il lui avait offert une occasion en or. La seule chose pouvant être pire qu'une croqueuse de diamants, c'était une croqueuse de diamants flanquée d'une fille avocate spécialiste des divorces.

Le chuintement d'une baie vitrée coulissant attira son attention et l'objet de sa consternation sortit du *poolhouse* ; elle avait une silhouette bien faite, des jambes interminables, et pas la moindre idée qu'on l'observait. Ne sentant aucun remords du fait qu'elle l'avait déjà dupé, il profita de l'occasion pour passer au crible chaque centimètre carré de son corps souple et analyser ses gestes. Ses cheveux bruns étaient lâchés sur ses épaules, épais et raides. Cette femme était de toute beauté, mais elle semblait en avoir relativement conscience. Elle tira sur l'entrejambe d'un maillot de bain qui lui rappelait vaguement quelque chose, dans la vaine tentative de mieux couvrir sa peau, lui offrant une vue imprenable sur son intimité. L'eau de la piscine n'était pas assez froide, loin de là, pour réprimer la réaction naturelle du corps de Clay.

Les yeux de la jeune femme étaient dissimulés derrière des lunettes de soleil jaunes, et elle leva le menton pour faire face au soleil. Son père lui avait dit qu'elle vivait désormais dans le Michigan, ce qui expliquait probablement pourquoi elle se délectait de la clémence du temps. Elle hissa les bras au-dessus de sa tête pour s'étirer de tout son long, prenant appui sur la pointe de ses pieds et se cambrant. Ses seins s'en trouvèrent rehaussés et son ventre se creusa, mettant ainsi en avant les belles formes de son corps galbé. Un élan appréciateur tout naturel traversa les reins du jeune homme. À un autre moment, en un autre lieu, il aurait pu songer à l'attirer dans son lit, mais cette femme représentait plus de complications qu'une dizaine de ses start-up réunies.

Elle se tourna et parcourut des yeux le patio et le jardin – estimant leur valeur, à coup sûr. Quand son regard se posa sur lui, immobile et silencieux dans l'eau, son corps se raidit.

Il inclina la tête pour la saluer.

— Vous auriez pu me dire que vous étiez là, lança-t-elle d'une voix accusatrice qui porta jusqu'à l'autre bout de la piscine.

— C'est amusant, riposta-t-il en lui jetant un coup d'œil. Je croyais que c'était vous l'invitée ici. Je suis chez moi, si l'on peut dire.

Elle avança jusqu'au bord de la piscine et croisa les bras.

— Ce sont les excuses les plus étranges que j'aie jamais entendues.

— Des excuses ? s'étonna Clay en haussant un sourcil.

— Votre famille souffrirait-elle de sénilité chronique ? demanda-t-elle dans un sourire faussement attendri. Je parle d'excuses pour m'avoir insultée et agressée.

— On ne vous avait jamais embrassée auparavant ? s'enquit Clay en haussant l'autre sourcil.

Toute une gamme d'émotions traversa le visage de la jeune femme, pour aboutir à une expression furieuse, ce qui ajoutait de belles couleurs à ses joues.

— Si, rétorqua-t-elle. Mais ni contre ma volonté ni avec une telle brutalité.

— Brutalité ? répéta-t-il en s'esclaffant. Cessez de jouer les innocentes, madame l'avocate. Vous n'aviez pas l'air pressée de mettre fin à cet écart.

Elle lança un regard alentour comme pour évaluer la manière dont elle pourrait se débarrasser du corps de Clay si elle parvenait à le noyer, puis elle afficha un grand sourire.

— Vu votre tournure d'esprit, je dirais que vous avez l'habitude de travailler avec des machines.

— Des sociétés de capital-risque.

— C'est la même chose, affirma-t-elle en relevant un coin de sa bouche. Vous n'avez donc rien à dire en ce qui concerne votre comportement de ce matin ?

Pour éviter d'avoir les yeux rivés sur les jambes d'Annabelle, qui de son point de vue semblaient interminables, Clay ferma les paupières et pencha la tête en arrière.

— Si, objecta-t-il. Votre réaction est exagérée.

Elle demeura silencieuse pendant un si long moment qu'il fut tenté de la regarder de nouveau, mais il s'en empêcha. Il n'en avait en vérité nul besoin, vu que sa silhouette était gravée dans sa mémoire. Elle finit par reprendre la parole :

— Monsieur Castleberry, ne craignez-vous pas que je ne parle à votre père ou à ma mère de votre petit pot-de-vin ?

Sans être distrait par l'apparence de la jeune femme, il détecta quelques vestiges d'un accent du Sud quand elle prononça son nom de famille. Voilà qu'elle se montrait bien formelle tout à coup. Il ébaucha un sourire, les paupières toujours closes.

— Mademoiselle Coakley, je connais bien mon père et je peux vous assurer qu'il doit attendre avec impatience que je l'aide à se sortir de ce mauvais pas. Aussi, je me doute que vous avez déjà parlé à votre mère.

Il fit rouler ses épaules crispées et expira lorsqu'une douleur traversa sa nuque – cela illustrait parfaitement la situation dans laquelle il se trouvait.

— Cela dit, ajouta-t-il, je vous garantis que les vingt-cinq mille, sont ma dernière offre.

Un « splash » tonitruant précéda la vague qui lui aspergea le visage. Clayton avala une gorgée d'eau chlorée, mais parvint à épargner ses poumons. Quand sa vue se clarifia, il observa Annabelle qui s'éloignait de lui en nageant, avec des mouvements de crawl impeccables, des battements de pieds exécutés à la perfection, dans une ligne droite irréprochable.

Quand elle arriva à l'autre bout, elle sortit la tête de l'eau et se pencha en arrière, directement face à lui. Son expression reflétait l'insolence à l'état pur. Avec ses cheveux bruns mouillés rejetés en arrière, les traits de son visage gagnaient en relief, ses sourcils formant des arcs sombres au-dessus de ses yeux dorés. Bon sang, elle était sublime. Neuf mètres d'eau azurée les séparaient, mais Clay avait les sens aussi affûtés que si le corps d'Annabelle avait été pressé contre le sien.

— Comme vous donnez dans le capital-risque, déclara-t-elle assez fort pour atteindre ses oreilles qui sifflaient, vous savez où vous pouvez aller risquer vos vingt-cinq mille dollars, n'est-ce pas ?

Clay serra les dents. En négociant des contrats pesant plusieurs millions de dollars, il avait appris à savamment dissimuler ses émotions. Il était temps de passer à une autre stratégie. Il afficha son sourire le plus charmeur.

— Vous êtes une nageuse exceptionnelle.

Elle haussa les épaules, ce mouvement mettant en valeur ses bras galbés.

— La natation m'a permis d'accéder à une excellente université, au lieu de me contenter d'une bonne fac. Et cela m'aide à me vider la tête – j'apprécie cette discipline.

Perspicace, ingénieuse... dangereuse.

— Vu la réaction de votre mère ce matin, je dirais que votre visite était impromptue.

Peut-être était-elle venue pour assurer les futurs gains des Coakley dans le patrimoine des Castleberry à l'insu de sa mère... ou peut-être cette dernière était-elle simplement une bonne actrice.

— Vu la réaction de votre père, je pourrais dire la même chose de votre visite.

Elle n'avait pas répondu – exactement comme Clay s'y attendait. Il s'éloigna du rebord en flottant, sans avoir choisi de direction en particulier.

— J'ai pensé qu'il fallait que je rentre. Mon père est tristement célèbre pour ses mauvais choix.

Elle déplaça les bras d'arrière en avant pour se propulser dans un mouvement lent et circulaire, mais sa voix était aussi tranchante qu'une lame de rasoir.

— C'est étonnant – ma mère a commencé à faire de mauvais choix précisément à partir du moment où elle a rencontré votre père, fit-elle remarquer.

— Dois-je en déduire que vous êtes opposée à ce mariage ? demanda-t-il.

— Vous pouvez croire ce que vous voulez, monsieur Castleberry.

— Vous louvoyez toujours autant au tribunal ? s'enquit-il en lui lançant un regard par-dessus son épaule.

— Oui, je suis contre ce mariage, affirma-t-elle en relevant son petit menton carré. Ma mère est une femme bien, une personne de confiance, et je refuse que quiconque profite d'elle.

Elle s'était suffisamment approchée de lui pour qu'il puisse distinguer les taches de rousseur parsemées sur son nez et ses oreilles aux contours délicats. Il chercha sur son visage une trace de fourberie. Était-elle encore en train de le mener en bateau ?

— Mon père aussi est une personne de confiance, et je refuse que quiconque profite de lui.

Elle émit un éclat de rire sans conviction, puis se pencha en avant pour s'approcher à la nage.

— Mais des deux, c'est votre père qui a la réputation de changer de femme comme de chemise – Castleberry est quasiment devenu le synonyme de l'expression « coureur de jupons ».

Ses paroles causèrent une sensation acide dans les entrailles de Clay. *Casanova Castleberry.* Il avait toujours détesté ce surnom dont la presse à scandale avait affublé son paternel. Pendant que la Terre entière ricanait et pariait sur la durée des liaisons de Martin, Clay s'était retrouvé confié aux bons soins du personnel de maison et n'avait vu son père qu'en de rares occasions. Il en voulait à Annabelle d'avoir abordé de façon si désinvolte un sujet qui l'avait tant affecté pendant toute son enfance.

— Et pour ce que j'en sais, rétorqua-t-il calmement, les Coakley pourraient avoir la réputation d'être des femmes du genre à s'intéresser d'un peu trop près aux hommes fortunés.

— Mon père n'était pas exactement ce que l'on pourrait qualifier d'homme fortuné, monsieur Castleberry, objecta-t-elle sur un ton méprisant qui semblait sincère.

— Mais il était aisé, non ?

— Nous ne manquions de rien, déclara Annabelle en fronçant les sourcils.

Ils flottaient désormais à quelques centimètres l'un de l'autre. Les jambes de la jeune femme étaient semblables à de fines colonnes, et le vernis bleu de ses orteils produisait comme des taches de couleur vive parties à la dérive.

— Alors peut-être que votre mère aspire à avoir plus que cela.

— Ma mère est la personne la plus désintéressée que je connaisse, affirma-t-elle en le transperçant du regard.

— Vraiment ? J'ai pourtant remarqué que son choix s'était porté sur une pierre de belle taille pour sa bague de fiançailles.

Ils décrivaient des cercles, comme des animaux à l'affût, progressant dans l'eau avec précaution.

— Ce n'est pas elle qui a choisi cette bague tape-à-l'œil, c'est votre père qui la lui a offerte, rétorqua-t-elle.

— Elle ne l'a pas refusée, répliqua-t-il.

Si l'avenir financier de son père n'avait pas été en jeu, il aurait apprécié ce petit badinage.

— Ma mère est bien trop gentille. Sinon, pourquoi se coltinerait-elle un homme qui conserve des maillots de bain de rechange pour ses charmantes naïades ?

Clay eut envie de rire en voyant l'expression indignée qu'arborait Annabelle, mais il ne comprenait pas bien.

— De quoi parlez-vous ? demanda-t-il.

— De cette espèce de tenue difforme, expliqua-t-elle en tirant sur les bretelles du maillot vert qu'elle portait. Cela sort du placard du *poolhouse* de votre père. Savez-vous qui est la dernière à l'avoir porté ?

Un sourire releva les commissures de ses lèvres quand il comprit d'où provenait son indignation.

— J'ai raté un épisode ? demanda Annabelle.

— C'est Valérie, déclara Clay.

— Pardon ? se récria la jeune femme.

— Je pense que c'est Valérie qui a porté la dernière, ce, euh, maillot difforme.

— Une des jeunes amies de votre père sans aucun doute, hasarda-t-elle d'un air triomphant. Et j'insiste sur le côté « jeunes ».

Il entendit la baie vitrée s'ouvrir au moment où il secouait la tête en souriant.

— Non. Une des miennes. Et j'insiste sur son côté…, hésita-t-il en désignant de la tête le maillot de bain détendu… disons, son côté « généreux » ?

Annabelle pinça les lèvres qui formèrent un arc rose et elle baissa les yeux sur le maillot comme si elle aurait voulu l'arracher sur-le-champ.

— Allez-y, ça ne me dérangerait pas, murmura-t-il, signifiant par là qu'il avait lu dans ses pensées.

Telles des perles de cristal, de petites gouttes d'eau bordaient les cils de la jeune femme. Il fit ensuite un geste de la tête en direction de leurs parents qui arrivaient avec des plateaux chargés de victuailles.

— Mais ils se feraient peut-être des idées, précisa Clay.

Elle bredouilla un commentaire cinglant tandis qu'il lui tournait le dos pour nager vers le bord avant de s'extraire de l'eau. Heureusement, sa serviette était posée sur une chaise toute proche, de sorte qu'il put en recouvrir l'effet qu'elle avait causé sur son corps. Cela faisait bien trop longtemps qu'il n'avait pas eu de compagnie féminine – peut-être appellerait-il Valérie. Bien sûr, la belle blonde pouvait aussi bien être fiancée ou mariée à l'heure qu'il était. Il se rappela l'avoir invitée à séjourner chez lui pendant une semaine au printemps dernier, quand son père était parti en congé et qu'il était resté s'occuper de la maison. Mais il ignorait qu'elle avait laissé derrière elle sa panoplie de maillots de bain. Et il ne se souvenait pas qu'elle avait eu l'air aussi sexy qu'Annabelle Coakley dans ce maillot vert.

Il salua Martin et Belle et accepta un verre de thé glacé sans sucre. Du coin de l'œil, il observait la jeune femme qui exécutait des longueurs de piscine avec une précision infaillible. Chaque pulsion sur ses pieds souples faisait ressortir ses tendons longilignes et ses hanches aux courbes harmonieuses. Ses cheveux flottaient derrière elle, comme une écharpe de soie noire.

Belle bavardait avec son père en fond sonore. Quand elle mentionna le nom d'Annabelle, il tendit l'oreille.

— ... On est si fiers d'elle... Elle s'achète une maison... Entre l'emprunt de ses études de droit et les clopinettes que lui paie l'État, je me demande comment elle a réussi à rassembler ces trente mille dollars... Peut-être que Dom partage les frais avec elle...

Le regard de Clay se posa de nouveau sur la femme qui fendait les eaux telle une sirène. Elle faisait preuve d'une certaine souplesse, ce qui inspira à Clay d'autres visions d'elle dans des positions bien moins conventionnelles. Il serra les dents pour lutter contre l'impulsion de désir qui se formait à son entrejambe.

Alors comme ça Annabelle Coakley avait elle aussi des secrets ? Il savait que le petit numéro de la fille modèle était trop beau pour être vrai – elle avait d'autres idées en tête. Après s'être excusé, il rentra dans la maison, s'empara de son téléphone portable et composa un numéro de mémoire.

Tout en écoutant la tonalité, il ne parvenait pas à décrypter cet élan de sa conscience qui espérait qu'il se soit trompé sur son compte cette fois-ci. Mais Clay se fiait toujours à ses instincts et, en cet instant, ils lui criaient haut et fort que Mlle Coakley était la femme la plus dangereuse qu'il ait rencontrée depuis un moment.

Et qui diable était ce Dom ?

Quand son interlocuteur décrocha, Clay parla d'une voix grave.

— Henri, c'est Clayton Castleberry. J'ai besoin que vous fassiez une vérification d'antécédents, basique pour l'instant. Elle s'appelle Belle Coakley.

Il épela le nom de la fiancée de son père, indiqua son adresse postale et estima son âge.

— Et il me faudrait la même chose pour quelqu'un d'autre, Henri, mais ce sera la totale pour celle-là, plus une surveillance en local. Vous notez toujours ? A-N-N-A…

Chapitre 5

— Alors, comment ça se passe ? demanda Domino.

Annabelle jeta un coup d'œil sur le hall bondé du centre commercial huppé où sa mère l'attendait. Belle semblait petite, douce et vulnérable – bon Dieu, ce qu'elle pouvait l'aimer. Annabelle déglutit avant de dire dans son téléphone portable :

— Pas si bien que ça, Dom.

— Ta mère ne s'est pas montrée réceptive à tes conseils ?

— J'ai, euh… En réalité, je n'ai pas encore eu l'occasion de beaucoup lui parler du mariage. Elle n'était pas à la maison quand je suis arrivée et, lorsqu'elle est rentrée, Melvin était avec elle, expliqua Annabelle.

— Je croyais qu'il s'appelait Martin.

— Peu importe. Bref, elle voulait qu'on passe l'après-midi au bord de sa piscine pour qu'elle puisse parler un peu avec son fils…

— Tiens, tiens… Un fils ? s'enquit Domino.

— Ne t'emballe pas, Dom, prévint Annabelle en fronçant les sourcils. C'est un Castleberry tout craché – grossier, arrogant, arriviste…

— Quel âge a-t-il ?

— Je l'ignore, je dirais dans les trente-cinq ans.

— Il est mignon ? s'enquit Domino.

— Non, déclara-t-elle avant d'avoir une hésitation, se remémorant les yeux bleus de Clay. Eh bien… peut-être mignon dans un style ténébreux, mais ce genre n'est plus d'actualité depuis *Les Hauts de Hurlevent*.

— Comment s'appelle-t-il ? Il est riche ? Célibataire ? mitrailla Domino.

— Clayton Castleberry, répliqua Annabelle dans un soupir. Probablement, mais cela m'est bien égal.

— Bon sang, Annabelle, pendant que tu y es, tu devrais en profiter pour…

— Dom !

— Désolée. Tu disais ?

— Eh bien, après avoir passé l'après-midi au bord de la piscine à observer maman et Melvin…

— Martin.

— … qui se faisaient des mamours, dit-elle en frottant son nez qui avait pris un coup de soleil et était désormais couvert de taches de rousseur, nous sommes rentrées à la maison pour avoir une longue conversation.

— Et alors ? s'enquit Domino.

— Et alors, elle avait bu trois verres de vin, donc elle s'est endormie avant même de pouvoir enfiler son pyjama. On parle de ma mère, là – la femme qui pensait que les sauces à base d'alcool étaient trop fortes.

— Et qu'as-tu fait de ta soirée ? demanda Dom d'une voix chantante.

— J'ai bossé sur mon portable, répondit Annabelle sur le même ton.

En réalité, les mains sur le clavier, elle avait envoyé des ondes négatives à Clay Castleberry, où qu'il soit, pour le punir de la façon dont il l'avait traitée. Cet homme la déstabilisait, la faisait se sentir en permanence sur la défensive.

— Enfin, maman et moi, on se prépare à déjeuner ensemble et j'espère pouvoir lui faire entendre raison.

— Vas-y mollo, Annabelle.

— Un jour, elle me remerciera, déclara la jeune femme.

— Bon sang, je croirais entendre ma mère.

— Fais attention à ce que tu dis, toi. Comment ça se passe au bureau ? s'enquit Annabelle.

— Bien. Ton agent immobilier a appelé… Sa boîte mail est cassée.

La jeune femme esquissa un sourire. Dom était une bonne assistante, mais elle n'était pas très calée en informatique.

— A-t-elle fixé une date pour la conclusion de l'achat de la maison ?

— Le jeudi de la semaine de ton retour. Et elle va te faxer un formulaire qu'il faudra remplir pour indiquer la provenance de ton acompte – elle a dit que la banque en avait besoin pour ses archives.

— D'accord, hum… bien sûr, acquiesça Annabelle en fronçant les sourcils et se mordant la lèvre inférieure. Tu pourrais scanner le formulaire et me l'envoyer par e-mail ?

— Tu me demandes ça à moi ?

— Dom, il faudra que tu te mettes à la page et que tu fasses comme tout le monde un jour ou l'autre.

— Le plus tard sera le mieux.

— J'attends donc le message et la pièce jointe. Demande à Mitch du service réseau de te montrer comment on se sert du scanner – il a le béguin pour toi de toute façon.

— Oh, génial, fit remarquer Dom. Toi tu as le fils d'une star du cinéma, séduisant, riche et célibataire, pendant que moi, j'ai Mitch et ses lunettes cul-de-bouteille.

— Non, mais..., commença Annabelle sans terminer, refusant de s'engager dans une réponse qui risquerait d'être mal interprétée, même si son cœur était définitivement emballé. Et à part ça, au bureau, quoi de neuf ? reprit-elle.

— C'est tranquille à vrai dire. J'ai profité de ce temps libre pour visiter quelques appartements. Mon loyer vient de doubler et il me reste un mois pour dégoter un nouvel appart.

— Le mien sera bientôt libéré.

— Ouais, mais il est trop loin de l'université, expliqua Domino. Au fait, je suis passée prendre ton courrier et changer la litière de Chouquette.

— Est-ce que la petite princesse a pointé le bout de son museau ? s'enquit Annabelle.

— Elle m'a craché dessus depuis le sommet d'une étagère, répondit Dom. J'ai été honorée d'un tel accueil.

— Merci de t'être occupée d'elle, répliqua la jeune femme en riant. Il faut que je file.

— Tâche de bien te tenir avec M. Castleberry junior et, je t'en prie, ne le laisse pas te voir en salopette, lui recommanda Domino.

— Salut, Dom ! lança Annabelle, baissant les yeux sur la seule tenue dont elle disposait et fronçant les sourcils.

Après avoir raccroché, Annabelle se fraya un passage dans la foule pour retrouver sa mère. Belle était élégante dans son tailleur-pantalon blanc, et son sourire resplendissant.

— Notre table est prête, ma chérie.

La serveuse de la petite brasserie considéra avec circonspection la salopette d'Annabelle, puis mena les deux femmes à une table dressée d'une nappe jaune pâle et ornée de fleurs fraîchement coupées. Les menus de brunch étaient imprimés sur un papier dans les tons verts avec des graines et des feuilles en relief.

— Ce restaurant est l'un de nos endroits préférés avec Martin, lança sa mère.

— Tous les chemins mènent à Martin, marmonna Annabelle entre ses dents.

— Pardon ? s'enquit Belle.

— Je me demandais ce que vous aviez l'habitude de commander avec Martin.

Sa mère énuméra une liste de plats raffinés. Annabelle ne la quittait pas des yeux et tentait de l'écouter, mais sans parvenir à se concentrer sur l'énumération. La jeune femme se remémorait l'époque où sa mère s'asseyait face à elle à la table vétuste de la salle à manger, passant au crible son livre de recettes pour trouver de quoi régaler la famille pour le 4 Juillet ou Thanksgiving. Femme au foyer et matriarche dévouée, toute la vie de Belle Coakley avait gravité autour de son époux, sa fille et son voisinage. À la connaissance d'Annabelle, sa mère n'avait jamais mis les pieds dans ce centre commercial – elle affirmait que l'atmosphère y était trop snob et que tout y était hors de prix, indiquant sa préférence pour les boutiques discount de la périphérie et les vide-greniers.

À présent, elle portait du maquillage de créateur et des jeans couture – des jeans, pour l'amour du ciel –, et semblait aux anges. Annabelle éprouva une vive douleur. Si sa mère s'épanouissait dans l'aisance que lui offrait Martin Castleberry, avait-elle été malheureuse quand elle vivait avec son père ?

— Annabelle ?

Elle cligna des yeux pour se focaliser sur le visage inquiet de sa mère.

— Tu te sens bien, ma chérie ? s'enquit Belle.

— Je… je pète la forme, déclara la jeune femme.

— Tout va bien au boulot ?

— Hein ? Oh, oui, Dom m'a dit que c'était assez calme. Et elle s'occupe de Chouquette en passant aussi.

— Ce qu'elle est gentille, cette fille ! fit remarquer sa mère en haussant les épaules d'un mouvement exagéré. Jolies comme vous êtes, j'ai du mal à comprendre pourquoi aucune de vous n'arrive à trouver chaussure à son pied.

— Maman…, commença Annabelle.

— À propos, j'ai quelque chose pour toi, ma chérie.

Belle se mit à fouiller dans un énorme sac à main noir, et sa fille se mit à redouter qu'elle n'en sorte un comptable d'un mètre quatre-vingts. Au lieu de cela, elle lui tendit un petit écrin de velours noir orné d'un ruban argenté.

— Qu'est-ce que c'est ? s'enquit Annabelle.

— Tu n'as qu'à l'ouvrir, suggéra sa mère.

Déconcertée, elle dénoua le ruban et souleva le couvercle de l'écrin. À la vue du petit diamant serti d'or, Annabelle eut les larmes aux yeux et sa gorge se noua.

— Ta bague de fiançailles ? s'étonna Annabelle.

— Je voulais te la donner, acquiesça Belle. Je sais que ton père en serait heureux.

— Mais c'est papa qui t'a offert cette bague…, commença Annabelle en battant rapidement des paupières.

Sa mère la fit taire gentiment.

— Je comptais te la donner un jour ou l'autre, et comme ça tu vas pouvoir en profiter pendant des années. Essaie-la.

Les mains tremblantes, Annabelle fit glisser l'anneau autour de son annulaire gauche, honorée de porter le symbole de la promesse d'union de ses parents, mais troublée de ne plus le voir à la main de sa mère.

— C'est un peu grand, murmura-t-elle en faisant tourner la bague librement.

— On va la faire ajuster, la rassura Belle. Elle te va à merveille. Il te reste de la place pour plein d'autres bagues, ajouta-t-elle avec un clin d'œil.

Annabelle déglutit, mais sa gorge resta nouée.

— Merci, dit-elle.

— De rien, répondit sa mère en lui serrant la main.

Elle avait les yeux rivés sur la main de Belle et une question qui l'avait effleurée la veille refit surface.

— Où est ton… ? demanda-t-elle, les joues virant au rouge pivoine et laissant la fin de sa question suspendue au bout de ses lèvres, se rendant compte qu'elle ne souhaitait pas en entendre la réponse.

— Mon alliance ? compléta Belle. Je l'ai retirée, indiqua-t-elle en tirant sur sa nouvelle bague de fiançailles pour révéler un creux sur son annulaire, à l'endroit où elle portait l'anneau depuis une trentaine d'années. Mais elle sera toujours dans mon cœur, précisa-t-elle, un sourire chaleureux sur les lèvres.

Une douleur laboura la poitrine d'Annabelle, laissant derrière elle un large sillon. Une protestation lui brûla la langue. *Non, ne te défais pas des cadeaux de papa… N'oublie pas la vie que tu as partagée avec lui… N'oublie pas qui tu es vraiment.* À défaut de lui dire tout cela, Annabelle posa les yeux sur la version sophistiquée et méconnaissable de sa mère qui lui faisait face et elle se demanda ce qu'elle allait encore perdre de cette figure maternelle avant la fin de cette histoire.

Une serveuse se présenta pour déposer devant chacune d'elles un jus d'oranges fraîchement pressé et prendre les commandes, faisant diversion en cet instant doux-amer. Alors que Belle énonçait une commande relativement complexe – elle surveillait sa ligne –, Annabelle ôta la bague et rangea l'écrin en lieu sûr, dans son sac.

— Alors, reprit-elle quand elles furent seules, forçant l'enthousiasme de sa voix et levant son verre. Quel est le programme pour le reste de la journée ?

— J'espérais que tu pourrais m'aider à choisir ma robe de mariée, indiqua sa mère.

— Ta robe de mariée ? répéta Annabelle en déglutissant avec difficulté, l'aigreur de l'agrume lui brûlant la gorge.

— Et ta robe aussi, bien sûr, ajouta Belle. Je pensais qu'on pourrait se coordonner entre mère et fille, tu sais, comme quand tu étais petite.

Saisissant l'opportunité, Annabelle s'essuya la bouche et choisit soigneusement ses mots.

— Maman, tu ne crois pas que ce mariage est un chouïa précipité ? dit-elle.

— Peut-être, mais cela ne veut pas dire que c'est un mauvais choix, répliqua Belle en creusant ses fossettes.

— Tu m'as toujours dit que les bons choix se faisaient rarement à la va-vite. Pourquoi es-tu si pressée de te marier ? questionna Annabelle.

— Pourquoi la plupart des couples sont-ils pressés de se marier ? riposta sa mère en rougissant et en baissant les yeux sur ses mains croisées.

Annabelle interpréta l'expression de Belle, puis s'accrocha au bord de la table.

— Punaise, tu es enceinte ! s'écria-t-elle.

Sa mère avait la cinquantaine, mais n'avait-elle pas entendu récemment parler d'une sexagénaire jeune maman ? Les questions médicales se bousculèrent dans sa tête et elle sentit un filet de sueur se développer à la racine de ses cheveux.

— Non, ma chérie, je ne suis pas enceinte, la corrigea Belle, le visage froissé d'hilarité. À mon époque, ajouta-t-elle en se penchant légèrement et abaissant la voix, un homme et une femme étaient pressés de se marier pour pouvoir consommer leur union.

En cet instant, non seulement Annabelle regretta d'avoir abordé le sujet, mais aussi d'avoir fait ce voyage à Atlanta. Elle était sous le choc et sa langue lui semblait pâteuse.

— Tu vas épouser Melvin Castleberry seulement pour pouvoir coucher avec lui ?

— Il s'appelle Martin, ma chérie, et je veux l'épouser parce que je l'adore, déclara sa mère. Et oui, ajouta-t-elle après une hésitation, je dois admettre qu'il devient insoutenable de lutter contre notre attirance physique.

Annabelle posa les coudes sur la table et se massa les tempes du bout des doigts. Son esprit vif passa en revue les diverses possibilités qui s'offraient à elle, et elle n'en trouva que deux : soit elle encourageait Belle à tirer un trait sur ses convictions morales et à coucher avec ce play-boy avant le mariage dans l'espoir qu'il lui sorte ensuite de la tête, soit elle restait plantée là à regarder sa mère épouser ce type pour les plus mauvaises raisons de la Terre. Aïe, aïe, aïe, quel choix !

— Je ne voulais pas te mettre mal à l'aise, murmura sa mère. Je me disais que cela faisait belle lurette que tu avais perdu ta virginité, avec toutes ces folles soirées étudiantes et tout ça.

Annabelle posa les mains sur son visage et jeta un coup d'œil à sa mère entre ses doigts.

— Maman, mais de quoi es-tu en train de parler ? se récria-t-elle.

— Mais de sexe, ma chérie, rétorqua Belle.

— Je sais, mais je n'ai jamais…, commença la jeune fille avant de froncer les sourcils, nerveuse. Il n'est pas question de ma vie sexuelle à moi, là.

Les trois femmes de la table la plus proche jetèrent des regards curieux dans leur direction. Annabelle leur rendit leur regard jusqu'à ce qu'elles feignent de s'intéresser au menu, puis elle laissa échapper un long soupir. Où en était-elle ? Ah oui – le choix impossible. Elle avala une autre gorgée de jus de fruits puis reprit d'une voix adoucie :

— Maman, j'admire votre, euh… abstinence, mais tu n'es pas sans savoir que l'attirance physique, ça ne suffit pas pour se passer la bague au doigt.

— Un mariage heureux ne peut pas seulement reposer sur le sexe, concéda Belle en hochant la tête, mais c'est aussi impossible sans le sexe.

Je n'arrive pas à croire que nous soyons en train de parler de ça, je n'arrive pas à y croire. Annabelle fouilla dans son sac et en tira un journal plié. S'éclaircissant la voix, elle lissa le papier contre la surface de la table.

— As-tu vu cet article des pages « Divertissement » d'un numéro d'*America's News* datant de quelques mois ?

— Non, répondit Belle en fronçant les sourcils.

La jeune femme fit passer le journal de l'autre côté de la table. L'article titrait « Casanova Castleberry touche le gros lot au tribunal », et était copieusement illustré de photos de Martin Castleberry en compagnie de ses nymphettes.

Sa mère rejeta le journal d'un revers de la main.

— Le studio pour lequel a travaillé Martin a enfin décidé de lui payer l'argent qu'il lui devait, et les journaux en font toute une histoire. Franchement, ils feraient mieux de dénoncer ces producteurs véreux, s'indigna Belle.

— La seule personne qu'on dénonce ici, c'est Martin Castleberry, indiqua Annabelle en pinçant les lèvres. Le journaliste a écrit deux lignes sur la décision prise par cette société de production, et les dix paragraphes restants sont consacrés à son penchant pour les jeunes et jolies filles.

— Martin a changé, objecta sa mère.

— Tu sais ce qu'on dit, maman : « Chassez le naturel, il revient au galop. »

— Il m'aime, insista Belle.

— Je ne veux pas qu'il te fasse du mal, rétorqua Annabelle en serrant la main de sa mère. Peut-être que Martin t'aime, pour l'instant. Mais bientôt l'effet de nouveauté de votre idylle va lui passer, et il cherchera d'autres… ouvertures. C'est ainsi que les hommes tels que Martin et Clay Castleberry opèrent.

— Clay ? s'étonna sa mère en penchant la tête. Qu'est-ce que Clayton vient faire là-dedans ?

Annabelle sentit une vague de chaleur gagner sa nuque et elle détourna les yeux de Belle qui l'examinait méticuleusement.

— Rien, répondit-elle. Cet homme suit les traces dévoyées de son père, cela saute aux yeux.

— C'est ce maillot de bain qui te chiffonne encore ? demanda Belle en souriant. Je te l'avais dit, Clay a l'habitude de s'attirer la faveur des femmes.

— Je pensais que tu parlais de Melvin, rétorqua Annabelle.

— C'est Martin, ma chérie. Peut-être qu'il a été un peu instable par le passé, mais maintenant, mon Martin est tout à fait fidèle. Alors que Clay, lui, est un célibataire très convoité.

Annabelle se sentit irritée en entendant ce nom qui lui remémorait son badinage rusé.

— Célibataire, peut-être. Mais convoité, cela sous-entend qu'il serait une personne que d'autres pourraient trouver désirable, déclara-t-elle avant de déglutir.

Avait-elle vraiment prononcé le mot désirable ?

— Et désirable, ce n'est pas un terme qui me viendrait à l'esprit pour parler de Clay… enfin, Clayton… Castleberry, ajouta-t-elle.

Sa mère haussa un sourcil, mais, avant qu'elle ne puisse prendre la parole, Annabelle posa son doigt sur l'article.

— Et ne change pas de sujet, reprit-elle. Je n'ai pas envie que dans quelques mois toute votre histoire soit étalée dans la presse et qu'on te range parmi les autres… « ex-Castleberry », dit-elle après avoir survolé l'article.

— Sérieusement, Annabelle, répliqua sa mère qui semblait ne pas s'en émouvoir, à son plus grand dam, j'apprécie que tu te fasses du souci pour moi, mais tu t'inquiètes pour rien.

— M'inquiéter pour rien, moi ? s'indigna la jeune femme.

Un homme assis à la table derrière sa mère se retourna en entendant la conversation monter d'un ton. Sa mère arborait un air réprobateur.

La jeune femme soupira bruyamment.

— Je suis désolée, maman, mais je suis plus objective que toi sur le mariage, et, si je m'inquiète, c'est parce que je t'aime.

— Tu devrais te trouver un hobby, ma chérie, déclara Belle en lui serrant la main.

Bouche bée, sous le choc, Annabelle se contentait de dévisager sa mère. Quand elle eut retrouvé ses esprits, elle lutta pour ne pas laisser transparaître sa colère.

— Quoi ? lança-t-elle.

— Un hobby. Tu sais – de la danse country, de la photographie, de l'origami –, quelque chose qui occupe tes loisirs.

— En réalité, rétorqua Annabelle avec ironie, ma semaine de soixante-dix heures de travail me laisse assez peu de temps libre.

— Ou quelque chose pour t'amuser, précisa sa mère. As-tu un compagnon ?

— Si tu veux parler d'un petit copain…, commença Annabelle.

— Ne perds pas ton temps avec les copains, mon ange, ce qu'il te faut, c'est un homme, un partenaire digne de ce nom, lui conseilla sa mère.

— Maman, je n'ai ni le temps ni l'envie de…

— Ah, voilà nos plats ! s'exclama Belle.

La serveuse posa les assiettes sur la table et la jeune femme lança un regard désespéré sur sa gaufre liégeoise aux noix de pécan. Sa mère porta une bouchée de tarte aux fruits à ses lèvres et ferma les yeux de plaisir gourmand. Comme Annabelle restait de glace, Belle consulta sa montre.

— Je ne veux pas te presser, ma chérie, déclara-t-elle, mais je sais que tu dois t'acheter quelques affaires et nous sommes attendues à 14 heures à la boutique spécialisée dans les tenues de mariage.

Exaspérée, épuisée, la jeune femme se contenta d'acquiescer, perturbée par les paroles de sa mère. Un partenaire ? L'image soudaine du visage moqueur de Clay Castleberry se plaqua dans sa tête. Sa faim l'étourdissait, conclut-elle. Elles mangeraient, puis elle essaierait de réattaquer le sujet avec Belle plus tard.

— Passe-moi le sirop d'érable, lança Annabelle dans un soupir.

* * *

— Papa, que sais-tu au juste de cette Belle Coakley ? demanda Clay en ralentissant l'allure pour que son père puisse alimenter la conversation sans être essoufflé, dans la chaleur de ce milieu de matinée, même si la condition physique de Martin ne manquait jamais de l'impressionner.

— Où veux-tu en venir, Clay ? s'enquit Martin en haussant un sourcil argenté.

— Voyons, papa, on en a déjà parlé plein de fois. Ne me dis pas que l'idée ne t'a jamais effleuré qu'elle pouvait vouloir rafler le pactole que tu as remporté au procès.

— Bien sûr que si, je vais te le dire, parce qu'il n'en est rien.

— Eh bien, moi, ça m'a effleuré.

— De toute évidence, répliqua Martin sur le ton de la moquerie. Mon fils, tu es trop jeune pour être cynique à ce point.

— Et toi, trop vieux pour être naïf à ce point, rétorqua Clay en se mordant la lèvre.

Son père fit encore quelques foulées avant de déclarer :

— Belle Coakley n'a rien d'une manipulatrice.

Au prix d'un effort surhumain, Clay résista à l'envie de rétorquer que Belle Coackley n'avait rien pour elle. En réalité, elle avait l'air gentille, mais elles l'étaient toutes, au début. En outre, il était désormais moins inquiet vis-à-vis de Belle Coakley que de sa progéniture.

— Et sa fille, ne serait-elle pas experte en manipulation ?

— Annabelle ? s'étonna son père en lui lançant un regard en biais. Elle a l'air très sympa, Clay. Et séduisante aussi, tu ne trouves pas ?

Le jeune homme trébucha puis reprit pied.

— Ne me dis pas que tu as décidé de troquer la mère contre la fille, pesta Clay.

Il éprouvait un profond malaise chaque fois qu'il pensait qu'il avait pris Annabelle pour la fiancée de son père.

Martin éclata de rire, rattrapant son fils au pas de course pour pouvoir lui assener une tape dans le dos.

— Bien sûr que non. Belle est la femme qu'il me faut. Je disais ça pour toi, mon fils, précisa-t-il. J'ai cru entrevoir une sorte d'étincelle entre vous.

Un éclat de rire ironique échappa au jeune homme qui pressa le pas sans y prêter attention.

— C'est sa langue de vipère qui fait des étincelles. Et je ne lui fais pas confiance, déclara Clay.

— Tu as peur de ce petit bout de femme ?

— J'ai simplement dit que je ne lui faisais pas confiance, protesta Clay en fronçant les sourcils.

— C'est la même chose quand il est question d'une femme. Enfin, d'une femme qui vous plaît.

Clay trébucha une nouvelle fois – satanées chaussures neuves.

— Ta vue a dû baisser, papa. Cette femme ne me plaît pas du tout.

— Non, j'ai toujours mes dix dixièmes, rétorqua Martin avant de rire de plus belle. On dirait que je suis condamné à être en pleine santé.

C'est ta santé mentale qui m'inquiète le plus.

— Elle ressemble à Belle, poursuivit son père. Un beau brin de fille.

Une diva.

— Et modeste.

Coincée.

— Et c'est une avocate, elle doit être intelligente.

Ou malhonnête.

— Papa, as-tu abordé le sujet du contrat de mariage avec Belle ? s'enquit Clay.

— Pour ta gouverne, Belle l'a proposé, et je l'ai refusé.

— Papa…

— Clay, l'interrompit son père. Je veux finir mes jours auprès de Belle et je n'ai pas l'intention de porter le mauvais œil à notre union en préparant sa fin avant même qu'on se soit dit oui.

Ils ralentirent en parvenant au bout de la piste de course. Clay fit mine de céder d'un hochement de tête conciliant, mais les paroles de son père effacèrent les derniers doutes qu'il avait sur la mission qui l'attendait : si Martin ne s'efforçait même pas d'établir un contrat de mariage, il ne lui restait pas d'autre choix que d'empêcher cette union.

Son père posa ses mains sur ses hanches pour reprendre son souffle.

— Belle et moi sommes vraiment aux anges de savoir que nos deux enfants seront à nos côtés lors de la cérémonie, déclara-t-il en adressant un regard chaleureux à son fils. Clay, je voudrais te dire à quel point ça me touche que tu aies écourté ton séjour à l'étranger pour te joindre à nous avant le mariage.

Le jeune homme sentit une vague de sentiments protecteurs l'envahir, remplacés par de la culpabilité, qui semblait plus persistante que ses doutes.

— C'est normal, papa.

Il canalisa ses réticences à l'égard de la famille Coakley en général, et envers Annabelle Coakley en particulier. Depuis sa plus tendre enfance, les femmes avaient été la source de tous les problèmes familiaux des Castleberry. Séductrices. Dépensières. Fautrices de troubles. Qui a dit qu'on avait besoin d'elles ? Il hocha la tête en direction de la piste de course.

— Je crois que je vais faire un autre tour.

— Bien sûr, mon fils, on se retrouve plus tard. N'oublie pas : on doit faire ajuster nos costumes à 14 heures.

Clay voulut émettre une objection, mais tant que le programme de la journée n'impliquait pas la présence des Coakley, il se tairait pour faire plaisir à son père.

— Quatorze heures. C'est noté, confirma-t-il.

Puis il se mit à courir, lancé dans un dernier tour de piste, déterminé à se sortir de la tête une certaine brunette aux longues jambes et à la langue bien pendue.

Chapitre 6

Annabelle frissonna – les boutiques de robes de mariée lui donnaient toujours des sueurs froides. La simple idée d'un magasin entièrement voué à la splendeur de la mariée le jour J lui tapait sur le système. Surtout depuis qu'elle avait fait la connaissance de trop nombreuses clientes qui avaient ensuite mis ces onéreuses robes au clou afin de récupérer l'argent nécessaire pour entamer une procédure de divorce.

Du coin de l'œil, elle remarqua une longue robe bustier en crêpe blanc enfermée dans un présentoir de verre de la taille d'une cabine téléphonique. Elle fit une pause pour en examiner les lignes épurées et ses lèvres s'entrouvrirent sous l'effet d'une admiration incontrôlée.

D'un autre côté, si par un quelconque miracle elle avait jamais l'idée de s'essayer à revêtir ce genre de tenues, un jour dans un futur très lointain, eh bien, cette petite merveille ne serait pas si mal.

— Est-ce que tu aimes bien la rose, ma chérie ?

Elle se tourna prestement avec un air coupable pour inspecter le choix de sa mère. La couleur était un peu criarde, mais c'était aussi le cas de ses trente-six essayages précédents. Annabelle ébaucha un sourire et hocha la tête.

— C'est ravissant.

— Elles sont toutes ravissantes, j'en ai bien peur, déclara Belle en plissant le front. Je n'arrive vraiment pas à me décider.

Gagnée par une certaine lassitude, Annabelle poussa un soupir.

— Cela n'a aucune importance en réalité…, commença la jeune femme avant de déceler l'expression blessée sur le visage de sa mère.

Cherchant ses mots pour rectifier le tir, elle ajouta :

— Celle que tu choisis n'a aucune importance, parce que tu seras magnifique dans tous les cas.

Rayonnant de joie, Belle se tourna quand une vendeuse émergea, les bras chargés des robes. Annabelle avait du mal à se décider, ne voulant pas encourager sa mère à faire des choses susceptibles de consolider son désir de se marier.

Une conversation avec l'une de ses clientes lui revint en mémoire, une femme qui avait demandé le divorce quelques semaines après son mariage. Elle avait expliqué à la jeune femme qu'elle avait découvert que son fiancé l'avait trompée à quelques jours du mariage. Quand Annabelle lui avait demandé pourquoi elle n'avait pas tout simplement annulé la cérémonie, elle avait haussé les épaules et déclaré : « Ma robe avait une traîne de trois mètres de long. »

Luttant contre l'étouffement qu'elle ressentait, Annabelle s'éloigna des mannequins ornés de dentelles en tout genre pour se diriger vers le rayon lingerie, non sans une certaine gêne. Elle avait acheté un short, et pourrait emprunter quelques hauts à sa mère, mais il lui fallait encore se trouver des sous-vêtements. Comble de malchance, le seul soutien-gorge qui n'avait pas été égaré par la compagnie aérienne – celui qu'elle portait – était celui à l'armature défaillante. Ce satané machin avait même déclenché le détecteur de métaux de l'aéroport de Detroit.

Elle passa ses doigts sur un soutien-gorge simple, en coton blanc, qui ferait l'affaire, mais elle eut un geste de recul quand elle retourna l'étiquette du prix. *Aïe.* Elle avait pris l'habitude de regarder à la dépense en raison de son budget serré, et elle se doutait que même si un jour elle gagnait mieux sa vie, elle resterait toujours une consommatrice attentive aux prix. Se mordant la lèvre inférieure, elle se dirigea vers le rayon soldé, qui présentait des pièces moins coûteuses, mais aux coupes et aux coloris plus osés.

Un coup d'œil en arrière lui suffit pour estimer que Belle serait encore occupée pour au moins une demi-heure. Elle se lança donc en quête d'un ensemble un tant soit peu respectable. Le premier soutien-gorge qu'elle sélectionna faisait la bonne taille, mais le tissu noir à pois rouges était un peu excessif, tout comme le suivant, en tulle jaune rehaussé d'argent. Un ensemble relativement banal de couleur beige attira son attention, mais les bonnets étaient si gros qu'elle aurait pu y fourrer sa tête entière. Ses doigts s'arrêtèrent sur un soutien-gorge noir et marron à imprimé léopard. Pas mal – prix raisonnable, sombre, bien couvrant, mais un peu… audacieux. Ce n'est pas comme si quelqu'un risquait de le voir, à moins de braquer la laverie de Sudsy Sam le mercredi soir, au moment précis où elle faisait sa lessive de linge délicat.

Annabelle sourit d'un air suffisant. Les achats de sous-vêtements sexy remontaient généralement le moral des femmes, mais, en comparaison aux autres, sa vie était assez monotone. Puis elle haussa les épaules. La monotonie avait quelque chose de confortable, et cela lui allait bien.

De l'autre côté du présentoir, elle trouva des culottes assorties – notamment un slip à taille haute qui semblait à l'épreuve des conditions extrêmes de son quotidien, à savoir passer des heures et des heures sur les sièges non rembourrés d'un tribunal. Annabelle se tourna vers un miroir en pied à trois volets et releva les sous-vêtements pour voir l'effet que cela ferait. Ses cheveux s'étaient échappés de leur barrette, libérant la longue frange qu'elle laissait pousser. À vrai dire, elle encadrait assez joliment son visage, mais elle savait qu'elle ne parviendrait jamais à reproduire cet effet, même armée d'une dizaine d'instruments professionnels et de deux bombes de laque. Elle releva la bouche d'un côté, puis de l'autre, un cintre en plastique sous le menton et un autre au niveau du nombril. Le tissu était plus fin qu'elle ne l'avait imaginé, mais c'était un détail appréciable…

Un mouvement dans la vitrine sur sa gauche capta son attention. Elle plissa les yeux, puis s'approcha. Martin Castleberry se tenait à quelques mètres, de l'autre côté de la vitre, et il était en train de parler à – même pas, il prenait dans ses bras une femme très jeune et particulièrement séduisante. Incrédule, Annabelle pressa son nez contre la vitre. La boutique voisine était un luxueux magasin de vêtements pour hommes, et la compagne sexy de Martin semblait choisir des cravates pour lui, ce qui avait l'air d'impliquer qu'elle passe ses mains sur tout son corps. Annabelle rageait – voilà qu'elle le prenait la main dans le sac, le tombeur de ces dames !

Puis, en un clin d'œil, sa colère se mua en triomphe : elle l'avait bel et bien pris la main dans le sac. Maintenant, tout ce qui lui restait à faire, c'était de traîner sa mère dans cette direction pour qu'elle puisse voir de ses yeux son comportement scandaleux, et cette farce de mariage serait enfin annulée.

Elle tourna les talons et se dirigea en trottinant vers le rayon des robes où Belle semblait hésiter entre un ensemble jaune pâle et une robe arrivant à mi-mollet dans les tons saumon.

— Maman, lança Annabelle d'une voix douce. Tu ne devineras jamais qui est ici…

— Qui donc, ma chérie ?

— Melvin.

Belle fronça les sourcils.

— Je veux dire Martin, rectifia Annabelle.

— Vraiment ? demanda Belle avec une mine radieuse. C'est merveilleux ! Où est-il ?

— Juste à côté, dans une boutique de vêtements pour hommes – allons lui dire bonjour.

Annabelle fourra les sous-vêtements sous son bras et prit une robe des mains de sa mère pour la remettre à la vendeuse.

Belle semblait étonnée de son soudain enthousiasme, mais elle suivit sa fille bien volontiers quand celle-ci l'attrapa par le coude.

— Martin doit se chercher un nouveau costume, suggéra Belle en lançant un regard inquiet sur les robes qu'elle laissait derrière elle.

— Façon de parler, marmonna Annabelle qui pressait sa mère.

Alors qu'elles traversaient des rayons entiers de robes du soir, de tailleurs chic et d'étoles raffinées, son cœur se mit à battre la chamade, en proie à une impatience douce-amère. Belle serait blessée dans un premier temps, mais elle comprendrait vite que sa vie serait meilleure sans Martin Castleberry. Quelle chance d'être tombée sur cet homme alors même qu'il s'adonnait à son vice préféré – au moins, grâce à cela, toutes les choses désobligeantes qu'elle avait dites sur lui trouveraient leur justification. Le cœur léger, elle accéléra le pas, guidant sa mère sur le sol de marbre clair.

Elles quittèrent la boutique de robes de mariée, et Annabelle traîna quasiment Belle dans le magasin de vêtements pour hommes. Heureusement, Martin et sa jeune amie étaient encore là. La jeune femme passait une cravate rayée verte et bleu marine autour de son cou et la nouait de ses doigts fins aux ongles manucurés. Elle affichait un grand sourire en penchant la tête d'un côté, ses longs cheveux raides coulant quasiment jusqu'à sa taille de guêpe. Et Martin, fidèle au rendez-vous, avait l'air tout bonnement enchanté de cette affreuse cravate. Annabelle le dévisagea avec insistance, pour s'octroyer la simple satisfaction de voir sa tête quand il remarquerait la présence de sa mère.

Une fraction de seconde plus tard, il regarda par-dessus l'épaule de la blonde et son visage se fendit en un large sourire.

— Belle ! Quelle agréable surprise !

— Bonjour, mon chéri ! lança-t-elle avec un sourire, ne semblant pas se rendre compte que son fiancé se trouvait aux mains d'une autre femme.

Il fit un pas de côté pour s'éloigner de la jeune femme et posa un rapide baiser sur les lèvres de sa fiancée.

Martin salua par la même occasion Annabelle, comme si tout était pour le mieux dans le meilleur des mondes. Elle comprenait mieux pourquoi cet homme avait été nominé aux oscars.

— Martin, déclara Annabelle de sa voix la plus innocente. Vous ne nous présentez pas votre amie ?

Comme prévu, sa mine s'assombrit et il plongea dans une perplexité feinte.

— Mon amie ? interrogea-t-il.

Il suivit le regard d'Annabelle, braqué sur la jeune femme qui les observait d'un air interrogateur.

— Ah, mon « amie » ! s'exclama-t-il en attirant la jeune femme vers lui.

Un vent de panique assaillit Annabelle quand elle aperçut le badge de vendeuse de la jeune femme.

— Je vous présente Suzanne Jacobson. Le père de Suzanne est un ami de longue date et un assistant hors pair – je me trouvais à la maternité quand cette jeune fille est née. Suzanne, je te présente ma fiancée, Belle Coakley, et sa fille, Annabelle.

La jeune femme afficha un sourire éclatant – Annabelle n'avait jamais vu autant de dents dans une bouche.

— Ravie de faire votre connaissance ! lança Suzanne. J'étais en train d'aider Martin à choisir quelques cravates pendant qu'il attendait Clay.

La vendeuse prononça ce dernier nom sur un ton à la fois familier et empreint de nostalgie.

Frustrée de constater que son plan avait été déjoué, et doublement irritée de rencontrer l'une des innombrables admiratrices de Clayton Castleberry, Annabelle jeta un regard méprisant en direction d'un présentoir de chaussettes et marmonna :

— Si j'entends encore une fois le nom de Clay...

— Attention, prononça une voix masculine dans son cou, j'ai déjà les oreilles qui sifflent.

Elle pivota, découvrant sans grande surprise Clay Castleberry, qui semblait avoir un don pour faire irruption au mauvais moment. En le voyant vêtu d'un jean classique noir, d'un tee-shirt blanc et de tennis en cuir vieilli, Annabelle eut un aperçu de ce à quoi avait pu ressembler Martin à l'époque où il était une star du cinéma. Clayton Castleberry était un homme d'une beauté saisissante, et le simple fait de l'admettre l'énerva encore plus.

L'objet de son irritation balaya de son regard noir sa salopette et haussa un sourcil.

— À Detroit, les avocats ne sont pas assez bien payés pour se payer des vêtements ?

Une vague de chaleur brûla la nuque d'Annabelle.

— La compagnie aérienne a égaré mes bagages, expliqua-t-elle entre ses dents, se sentant comme une clocharde à côté de l'éblouissante Suzanne à la coiffure impeccable et qui paradait près d'elle, tirant tout le parti qu'elle pouvait de la comparaison.

— Hello, toi ! lança la vendeuse d'une voix traînante, roulant des hanches dont les formes étaient étalées au grand jour par une jupe rouge des plus moulantes.

— Salut, Suzanne, répondit Clay en suivant le mouvement des yeux. Ça fait un bail qu'on ne s'est pas vus.

— Cela ne tient qu'à toi, répliqua-t-elle sur un ton doucereux.

— J'étais occupé, indiqua-t-il.

— Ne me dis pas que toi aussi tu te maries ! riposta-t-elle, manifestement blessée, en jetant un regard suspicieux à Annabelle.

— Non ! s'écrièrent-ils à l'unisson.

Clay éclata de rire avant de préciser d'un air détaché :

— Je suis simplement venu aider papa à choisir un costume.

— Et je suis simplement là pour aider ma mère à choisir une robe, indiqua Annabelle, n'appréciant pas le moins du monde d'avoir à se justifier et fronçant les sourcils en direction du couple âgé qui se dévorait des yeux à quelques pas de là.

Belle rajusta l'atroce cravate et Martin couvrit ses mains de baisers. *Beurk.*

— Annabelle, ma chérie, lança sa mère. J'aimerais montrer à Martin cette robe rose.

— Vous pouvez rester avec Clay, Annabelle, lança Martin avec un sourire charmeur. Vous lui donnerez votre avis sur le style de veste que j'ai choisi. Ajoutez la cravate sur mon compte, Suzanne. On revient dans quelques minutes.

Ils n'attendirent même pas une réponse avant de cheminer hors de la boutique bras dessus bras dessous. Annabelle serra les dents, s'apitoyant sur la tournure des événements de la journée. Elle avait été si proche du but…

— Allez, du calme ! la réprimanda Clay.

Elle le fusilla du regard en prononçant ces mots :

— Fermez-la.

— Je vais chercher la veste que Martin a choisie, lança Suzanne qui suivait leur conversation des yeux, puis elle disparut.

— Inutile de continuer à jouer la comédie avec moi, déclara Clay en croisant les bras.

— Mais de quoi parlez-vous, au juste ? demanda-t-elle, cherchant un endroit où s'asseoir.

— Je ne suis pas convaincu que vous soyez si opposée à ce mariage que vous le prétendez.

Ses pieds faisaient atrocement souffrir Annabelle, et sa tête n'était pas en meilleur état. Elle lui lança un autre regard puis s'approcha d'un pas en plissant les yeux.

— Monsieur Castleberry, laissez-moi vous rappeler que vous vous êtes mis dans l'embarras tout seul, et ce dès les dix premières minutes de notre première rencontre, pesta-t-elle en se penchant un peu plus vers lui à chaque mot, la moutarde lui montant au nez. Vous êtes l'homme le plus arrogant que j'aie eu le malheur de rencontrer. Et il m'est bien égal de savoir si vous trouvez mon comportement convaincant ou pas, parce que vous n'avez absolument rien à dire sur ma vie, déclara-t-elle en appuyant un doigt sur son torse, avant de faire la grimace en réalisant à quel point ses muscles étaient durs. Compris ?

— Excusez-moi, intervint Suzanne en réapparaissant.

Sa voix avait changé et elle regardait Annabelle de haut. Une femme qu'Annabelle reconnut comme étant la vendeuse qui avait aidé sa mère se tenait derrière la blonde.

— Oui ? lança Annabelle, sans dissimuler son impatience.

— Je vais devoir vous demander de me suivre, annonça Suzanne.

Un vigile patibulaire en uniforme s'était avancé pour se planter à côté d'elle.

— Y a-t-il un problème ? s'enquit Annabelle.

— Le problème, expliqua Suzanne en ponctuant chaque syllabe de mépris, c'est que l'on vous a vue en train de voler à l'étalage dans la boutique de robes de mariée.

Elle fit un geste vers l'autre vendeuse qui acquiesça sèchement.

Annabelle s'en décrocha presque la mâchoire, au point qu'elle sentit l'air froid sur sa langue.

— Quoi ? lança-t-elle.

— Voyons un peu ce que vous cachez sous votre bras, ordonna le vigile, qui semblait savourer le moment.

— Cacher, moi ?

La jeune femme se sentait si outrée qu'elle en était sans voix. Ces snobs étaient à la fois arrogants et paranoïaques. Elle leva les bras d'un air exaspéré pour prouver qu'ils mentaient.

Puis elle vit le soutien-gorge noir et marron léopard et la culotte taille haute assortie choir sur le sol de marbre.

Si le diable avait fait son apparition à cet instant et lui avait offert le don d'invisibilité en échange de son âme, Annabelle n'aurait pas hésité un instant. Elle était submergée de honte alors qu'une foule d'idées envahissait son esprit, lui laissant entrevoir à quel point une affaire de vol à l'étalage affecterait sa carrière. N'était-il pas stipulé dans son contrat avec l'État qu'elle serait dans l'obligation de rembourser elle-même ses emprunts si elle était reconnue coupable d'une quelconque infraction ? Sans aucune référence, elle aurait du mal à retrouver un emploi digne de ce nom. Et, sans emploi, elle ne pourrait jamais acheter de maison. Un vent de panique à l'état pur fit sortir ces paroles de sa bouche pour sa défense :

— Ces… ces choses ne sont p-pas à moi.

Suzanne émit un rire moqueur, puis se pencha pour rassembler les vêtements tombés au sol. Tenant les cintres à bout de bras, elle en examina d'un air dédaigneux les étiquettes orange fluo indiquant que les articles étaient soldés.

— Le soutien-gorge semble être à votre taille.

Ses chemisiers à col montant dissimulaient efficacement son anatomie au tribunal, mais elle se doutait que son tee-shirt jaune en dévoilait bien plus aujourd'hui.

— Enfin… Je veux dire que j'ai jeté un coup d'œil à la lingerie, et j'ai, euh… j'ai pris quelques articles. Enfin, disons que je voulais acheter des sous-vêtements… et puis j'ai vu Melvin, euh… Martin dans l'autre boutique, et puis j'ai oublié…, débita Annabelle d'une voix qui s'éraillait. J'ai… j'ai oublié que je les avais.

Son excuse était faiblarde, même à ses propres oreilles. De façon inexplicable, ses yeux se tournèrent vers ceux de Clay, dans l'espoir qu'elle n'ait pas l'air aussi vulnérable qu'elle ne se sentait réellement. De toutes les personnes devant qui elle pouvait se ridiculiser, c'était bien la dernière qu'elle aurait choisie. Leurs regards s'entremêlèrent. Elle s'attendait à ce qu'il ait la mine suffisante, mais ses yeux sombres et plissés la frappèrent en exprimant – de la colère ? Il était gêné de se trouver impliqué là-dedans par association. Pensant déjà beaucoup de mal d'elle, Clay devrait se réjouir de l'envoyer derrière les barreaux.

Même si elle devinait toute l'antipathie qu'il éprouvait envers elle et sa mère, Clay était ce qui ressemblait le plus à un allié à ce moment précis, et Annabelle ne parvenait pas à détacher son regard du jeune homme. Il la dévisageait aussi intensément que si leurs yeux étaient aimantés. Curieusement, elle sentit que son corps tout entier était attiré par lui, chaque poil, chaque nerf, chaque muscle de son être, mais elle se raidit pour ne pas perdre pied. Et, plus étrange encore, le regard de Clay changea subitement, s'adoucissant d'une façon qui coupa le souffle à la jeune femme.

L'espace de quelques secondes, tout ce qui se trouvait autour d'eux avait disparu, et les voix ne furent plus qu'un fond sonore indistinct. Il relâcha ses mâchoires et elle fut étonnée de constater qu'il avait l'air plus jeune et moins intimidant. Toutefois, un sentiment proche de la peur demeurait au fond du cœur de la jeune femme – quelque chose de bien plus effrayant qu'un séjour sous les verrous. Car elle comprenait qu'elle avait là un aperçu de la compassion de Clay, ce qui relevait sans doute du privilège. Quels que soient les sentiments qu'il éprouvait pour elle, elle était persuadée que cet homme prendrait sa défense, et le simple fait de le savoir la réconfortait.

Il prit l'initiative de regarder ailleurs, ce qui permit à Annabelle de reprendre son souffle et il posa la main sur le bras du vigile.

— Je suis sûr que l'on peut régler ce problème de façon à satisfaire tout le monde. Mlle Coakley est originaire d'Atlanta et est une avocate reconnue à Detroit. Elle est ici en congé et fait les boutiques avec sa mère, qui est une amie très proche de mon père, Martin Castleberry.

Comment cette suave tonalité de voix avait-elle pu échapper à Annabelle jusque-là ? Il prit les sous-vêtements des mains de Suzanne et les tint à bout de bras, leur petite taille semblant incongrue entre ses grandes mains. Annabelle déglutit. Comment un acte si anodin pouvait-il lui paraître si intime ? Avait-elle changé ? Ou était-ce lui qui avait changé ? Qu'est-ce qui avait changé ? Une honte abjecte empourprait ses joues, à la fois en raison de sa situation, mais aussi de sa nouvelle perception de Clayton Castleberry.

Aïe, aïe, aïe. Elle était en mauvaise posture ; la situation s'était détériorée en un clin d'œil.

* * *

Clay avait les yeux rivés sur les dessous de soie qui pendaient au bout de ses doigts, quelque peu étonné que les goûts d'Annabelle en matière de lingerie soient aussi « sauvages ». Un tout petit effort, et il l'imaginait, son corps svelte enveloppé de ce soutien-gorge et de cette culotte, les cheveux au vent…

Il se reprit mentalement. Quand Suzanne avait accusé Annabelle d'avoir volé à l'étalage, son impression victorieuse que la jeune femme était sur la mauvaise pente fut de courte durée. Un instant, il avait pensé informer Martin qu'au moins une des Coakley était une cleptomane, et l'instant d'après, quand Annabelle tourna ses yeux noisette dans sa direction, tout son enthousiasme s'évapora. Tout comme ses capacités de raisonnement apparemment, car lorsque le vigile fit un pas en avant et que les passants s'arrêtèrent pour se gausser, il fut gagné par un désir de la protéger, ce qui le poussa à prendre la parole. Il préférait s'imaginer que cette jeune femme était assez maligne pour éviter de voler à l'étalage des tenues aussi embarrassantes, mais pouvait-il se fier à son instinct ? Et maintenant, le groupe tout entier le dévisageait, attendant que… quoi ?

Il s'éclaircit la voix et poursuivit, cherchant les mots justes.

— Et si Mlle Coakley déclare qu'elle a oublié qu'elle tenait ces articles en quittant la boutique, c'est que c'est précisément ce qui s'est passé.

Il croisa le regard de la jeune femme, qui se dandinait d'un pied sur l'autre, honteuse, les joues cramoisies. Réprimant un sourire, il tendit les articles en question à la vendeuse de la boutique de robes de mariée, puis tira une carte de crédit noire de son portefeuille.

— Veuillez mettre ceci sur mon compte.

— Je vais les régler…, commença Annabelle.

Mais elle s'interrompit et pinça les lèvres en voyant le regard d'avertissement qu'il lui avait lancé.

Au moins, elle savait tenir sa langue… de temps à autre.

La vendeuse plus âgée posa les yeux sur la carte de crédit, puis esquissa un sourire traduisant le fait qu'il était remonté dans son estime.

— Oui, monsieur Castleberry, tout de suite.

La gêne qu'avait ressentie Clay dans cette malencontreuse situation fut rapidement dissipée par la satisfaction de constater que son nom et son argent lui avaient permis de faire descendre Annabelle de ses grands chevaux. Bien entendu, elle semblait d'humeur assez sombre, son regard doré empreint de douceur et de lassitude posé sur lui, tentant probablement de comprendre pour quelle raison il s'était porté à son secours. Clay se posait la même question.

L'expression de la jeune femme l'avait cloué sur place. Il l'avait brusquement imaginée dans son lit, offerte, les yeux brillant de désir. Mais la vision de ces ébats imaginaires avec Annabelle fut rapidement remplacée par une pensée qui le ramena à la raison : dans la vie, les pires dangers prennent souvent une allure séduisante. Cette femme – certainement une petite délinquante – avait des vues sur le compte en banque des Castleberry, et avait tout de même réussi à susciter sa sympathie. Il l'avait aidée dans le seul but de reprendre le dessus et d'empêcher que le nom de son père soit mêlé à cette histoire.

Clay serra les dents en pensant aux réactions dérangeantes que suscitait chez lui Annabelle Coakley d'un battement de ses cils immenses. Il avait hérité du physique de son père, mais pas de sa faiblesse aveugle envers les jolies femmes.

Comme si elle lisait dans ses pensées, Annabelle articula un « merci » silencieux en clignant rapidement des yeux. Clay fronça les sourcils et étudia son visage pâle à la mine convaincante, tout en massant un nœud de stress qui venait de se loger au-dessus de ses côtes.

Il ne ressemblait en rien à son père. En rien du tout.

* * *

— Je n'y crois pas, déclara Domino. C'est pas possible.

— Dom, je n'essayais pas de voler de la lingerie.

— Non, je ne parle pas du vol : je n'arrive pas à croire que tu étais en train d'acheter des sous-vêtements coquins.

— Ils étaient soldés, expliqua Annabelle en se renfonçant dans le coussin du canapé et en poussant un soupir.

— Et Clayton Castleberry est venu à la rescousse. Comme c'est romantique !

La jeune femme attrapa un vieux bonbon qui traînait sur la table basse et le lança dans sa bouche.

— Ça n'a rien de romantique. Il essayait simplement d'éviter que le précieux nom de son père ne se retrouve mêlé à un scandale. Et il voulait se faire plaisir.

— N'empêche, il faut reconnaître qu'il a parfaitement géré la situation. Tu dois l'adorer pour ça.

— Certainement pas, objecta Annabelle en fronçant les sourcils, soudain irritable.

— Eh, dépêche-toi – mets le talk-show du soir sur EBC.

— Pourquoi ?

— Je ne sais pas de quoi ils parlent, mais il y a une photo de Martin Castleberry en arrière-plan.

— Oh, génial ! grogna Annabelle en s'emparant de la télécommande pour sélectionner la chaîne.

— Ouais, lança le comédien par-dessus les rires de son public. À ce qu'on raconte, Martin Casanova Castleberry va dire oui pour la sixième fois. La sixième fois, vous m'avez bien entendu, poursuivit-il avant de siffler. Mais il n'a pas, genre, cent cinquante ans ? Moi, j'arrive pas à décrocher un seul rencard, et lui il a une carte de fidélité au service des mariages de la mairie !

Le public gloussa tandis qu'Annabelle était submergée par une vague de dégoût.

— Bon, eh bien, cela prouve que chacun peut trouver chaussure à son pied, reprit le comique.

Enfin, pour Martin, c'est tout de même la sixième paire de pompes.

Des éclats de rire retentirent.

— Bien sûr, poursuivit le comédien, mains dans les poches, ce mariage survient précisément au moment où Martin a réussi à débloquer des sommes qu'une société de production lui devait. Quelle drôle de coïncidence, hein ? Loin de moi l'idée que cette femme est une croqueuse de diamants, mais j'ai entendu dire qu'elle avait un goût prononcé pour tout ce qui brillait et qu'elle avait des dents en béton.

Il secoua la tête avant de passer à un autre sujet.

— Ne l'écoute pas, déclara Domino. Il ne devait pas y avoir beaucoup d'actualités à se mettre sous la dent aujourd'hui. Et il n'était même pas drôle, cet imbécile. Et puis, c'est un talk-show qui passe tard le soir – je suis sûre que personne ne l'aura vu.

— Nous, on l'a vu, en tout cas, objecta Annabelle.

— Pauvre Belle ! s'apitoya Domino.

— Maman va être la risée de tous si elle épouse cet homme. D'ici peu il y aura des photos d'elle diffusées sur toutes les chaînes, marmonna la jeune femme en coupant le son.

— Et comment se passent les préparatifs pour le jour J ? s'enquit Dom.

— Eh bien, grogna Annabelle, je l'ai aidée à réduire la liste des invités à une toute petite centaine.

— Waouh ! s'exclama Dom.

— Ils sont censés se marier au bord de la piscine de Martin samedi.

— Cela ne te laisse plus que quatre jours, fit remarquer son amie.

— Inutile de me le rappeler. Elle doit commander le gâteau et le traiteur demain, et l'agent de Martin a réservé un photographe professionnel, indiqua Annabelle en avalant un autre bonbon. Le jour tant redouté approche.

— Et la robe ? s'enquit Domino.

— Elle l'a choisie aujourd'hui, pendant qu'on menaçait de me passer les menottes.

— Ce que c'est amusant ! s'exclama son amie. Quelle couleur ?

— Rose, répondit Annabelle en levant les yeux au ciel.

Domino, toujours friande de trucs de filles, poussa un petit cri enthousiaste très prévisible.

— Oh, ça a l'air génial !

Contre toute attente, l'image de la belle robe blanche épurée dans sa vitrine vint à l'esprit d'Annabelle. Puis elle se reprit et déclara :

— Dom, je crois que tu perds de vue que mon objectif est d'empêcher le mariage.

— Mais c'est un excellent entraînement, objecta son amie.

— Pour quoi – pour une crise de nerfs ?

— Mais non, pour ton propre mariage, idiote ! répliqua Domino en riant.

— Est-ce que tu détiens des informations que je n'aurais pas ? demanda Annabelle en haussant les sourcils.

— Non, mais si un tel tourbillon romantique peut emporter ta mère, je suis sûre que tu n'es à l'abri de rien.

— Dom, rétorqua Annabelle avec un rire hautain, si je devais me marier – ce qui n'est pas le cas –, j'espère que j'aurais au moins la présence d'esprit – ce qui est le cas – de ne pas dire oui à un homme que je connais à peine.

— Mais tu n'as jamais rencontré quelqu'un qui te donnait immédiatement l'impression de le connaître de longue date ?

— Cela n'arrive que dans les films, déclara Annabelle en partant à la recherche d'un bonbon vert. Je dirais même plus, dans les films en noir et blanc. D'ailleurs, ce n'est pas parce que tu as l'impression de connaître quelqu'un que cela veut dire que tu vas l'apprécier.

— Peut-être, acquiesça Dom dans un soupir. Mais on peut toujours espérer.

— Eh bien, ça n'empêche pas qu'il faut que je trouve un plan d'ici demain, affirma Annabelle. Déjà qu'acheter la robe n'est pas rien, je ne vais pas la laisser verser un acompte au traiteur.

— Ce n'est pas Martin qui paie pour tout ? s'étonna Domino.

— Elle ne voulait pas qu'il paie la robe, et j'ai insisté pour payer la mienne, précisa Annabelle en changeant de position avec un grognement désapprobateur. Son fils est propriétaire de la maison dans laquelle il vit – et je commence à me demander si ce Castleberry n'est pas en train d'épouser ma mère pour son argent.

— Je croyais qu'il venait de gagner une belle somme au tribunal, fit remarquer son amie.

— Peut-être, mais qui sait combien de dettes cet homme a encore sur les bras, ou quels sont les coûteux vices qui pourraient le ruiner ? lança Annabelle.

— Mais tu as dit qu'il avait offert à ta mère un énorme solitaire pour leurs fiançailles, rappela Domino.

Annabelle songea à la bague plus modeste que sa mère lui avait donnée et qu'elle avait rangée dans le tiroir de sa table de chevet, et son cœur se serra.

— C'est un gros caillou d'une laideur absolue, et il l'a probablement acheté à crédit, objecta Annabelle avant de claquer des doigts. Ou alors c'est un faux !

— Comment tu pourrais le savoir ? demanda son amie.

— À part en le faisant expertiser par un bijoutier, je n'en ai pas la moindre idée, avoua la jeune femme.

— Tu crois que Belle lui en voudrait si c'était du toc ?

— Certainement pas s'il le lui avoue franchement.

— Mais si c'est un faux et qu'il ne le lui a pas dit…

— Alors elle saurait qu'elle ne peut pas lui faire confiance ! s'exclama joyeusement Annabelle. Dom, tu es un génie, lança-t-elle en engloutissant un autre bonbon.

— Je peux avoir une augmentation ?

— Bien sûr, dès que moi j'en aurai eu une.

— Rappelle-moi demain pour me raconter, lança Domino. Et dis à M. Clayton Castleberry que la prochaine fois qu'il passe à Detroit, il y a une ravissante demoiselle, disponible et seule dans nos locaux, qui adorerait recevoir la visite d'un héros.

— Dom, rétorqua la jeune femme avec un sourire exaspéré. Pour la dernière fois, ce type ne m'intéresse pas.

— Mais je parlais de moi, patronne !

— Oh… Bien sûr.

Chapitre 7

Clay se frotta les yeux pour affronter la lueur du matin qui se faufilait entre les rideaux. Cela ne le dérangeait pas de manquer de sommeil – il avait pour habitude de dormir cinq heures par nuit –, mais il ne supportait pas l'idée que cette insomnie soit due à un petit bout de femme dotée d'un joli minois. Annabelle Coakley l'irritait au-delà de tout ce qu'il pouvait imaginer, en raison de son attitude chicaneuse et indépendante. Elle lui avait déjà causé plus de migraines et coûté plus d'énergie que de raison.

En réalité, après avoir regardé la veille ce lourdaud de comédien se servir du nom de Martin pour faire ses blagues pourries, et maintenant qu'il contemplait le plafond au point du jour, il songea qu'il avait perdu assez de temps à Atlanta. Peut-être avait-il tiré des conclusions hâtives sur les Coakley... Peut-être qu'il finirait par capituler et laisser Martin tenter sa chance... Et peut-être que tous les trois méritaient bien d'être ensemble.

La lumière matinale se refléta sur sa montre en platine et il esquissa un sourire. Il pourrait prendre un avion pour Paris cet après-midi. Paris, ville où les femmes étaient vraiment féminines – et ne s'accoutraient pas de salopettes dépenaillées – et ne passaient pas leur vie à accabler les hommes qui les entouraient. Et vu que son père serait très occupé par ce nouveau mariage, il pouvait tenter de prolonger le bail de son appartement parisien.

Le moral remonté à cette idée, Clay s'assit au bord de son lit et s'étira pour éliminer la somnolence causée par sa nuit très courte. Il réglerait une question ou deux, et le lendemain matin il mangerait des croissants tout frais. Il sortit son téléphone et composa le numéro d'Henri. Ce détective privé semblait vivre sous intraveineuse de café et avait tout d'un oiseau de nuit. Il décrocha sans surprise dès la première sonnerie.

— Henri, c'est Clayton Castleberry. Qu'avez-vous trouvé au sujet des Coakley ?

— Bonjour à vous, riposta Henri sur un fond sonore de papier froissé.

Clay s'avança vers la fenêtre ouverte et tira les rideaux pour observer la demeure des Coakley. Où se trouvait sa chambre ? Dormait-elle encore dans un lit défait ?

Henri toussa, puis s'éclaircit la gorge bruyamment.

— Pas grand-chose sur la mère. Cinquante-six ans, mariée à un petit avocat pendant une trentaine d'années, jamais travaillé, pas de liaisons depuis le décès du mari, je n'ai rien déterré. Va à l'église, fait du bénévolat à la bibliothèque, pas de vices connus en dehors du bingo.

Il éclata de rire, puis avala bruyamment une gorgée de café.

Clay guetta un signe de vie à l'une des fenêtres de la villa voisine, abasourdi de sentir son cœur s'emballer à l'idée de surprendre la jeune femme de la sorte. Dégoûté de lui-même, il commença à pivoter, mais un mouvement provenant de la petite maison l'arrêta net. Les rideaux s'ouvrirent sur Annabelle, poussant des bras les pans de tissu afin de laisser entrer le soleil dans sa chambre. C'était fou, mais il en eut le souffle coupé.

— Et que pouvez-vous me dire sur la plus jeune ? lança-t-il à Henri, se demandant pourquoi il était presque douloureux pour lui de prononcer son prénom.

— Annabelle ?

— C'est ça.

Il n'était pas sûr de ce qu'il voyait à cette distance, mais il pensait avoir aperçu l'éclat d'une dentition blanche. Elle souriait – quand arriverait-il au bout de ses surprises ?

— Pas grand-chose sur elle encore, mais j'ai pu la filer avec sa mère une grande partie de la journée d'hier. Déjeuner au centre commercial Lenox, au cours duquel elle a montré à sa mère un article de l'*America's News*. Elles se sont disputées – la jeunette haussait la voix et disait qu'il y avait un truc qui l'inquiétait. J'ai vérifié l'article ; c'était un papier paru il y a quelques mois sur les gains de votre père grâce à son procès. Vous en voulez un exemplaire ?

Sans voix, Clay se contenta de grogner. Dans la maison voisine, Annabelle souleva le châssis de la fenêtre et s'accouda au rebord. Elle devait avoir eu peur que sa mère ne touche pas un centime de la belle somme gagnée par Martin au tribunal. Ses soupçons à son sujet devaient être justifiés après tout… Mais pourquoi se sentait-il trahi à ce point ?

— Après le petit déjeuner, les deux femmes ont fait beaucoup de shopping, plus pour regarder que pour acheter. Elles ont même essayé des manteaux de fourrure – en plein été, vous y croyez, vous ?

La jeune femme portait un pyjama jaune. Elle exposait des bras à la peau claire et ses cheveux ébouriffés par une nuit de sommeil tombaient en masse sur ses épaules.

— Continuez, parvint à dire Clay malgré sa bouche pâteuse.

— Ensuite, elles sont venues à votre rencontre avec votre père – c'était sympa de votre part de la soustraire à cette accusation de vol à l'étalage, soit dit en passant.

Ce n'était pas sympa – c'était idiot. Il n'aurait jamais dû la tirer de ce mauvais pas.

— Vous étiez là ?

— Oui, j'essayais des boutons de manchettes.

Impressionnant. Bien sûr, il avait été tellement distrait par cette petite minaudeuse qu'il n'aurait même pas reconnu le Président s'il était venu acheter une cravate dans cette boutique.

— Et que s'est-il passé quand elles sont reparties ?

— Elles sont allées chez deux concessionnaires automobiles pour essayer des voitures de luxe. Il me paraît évident qu'elles prévoient une grosse arrivée d'argent incessamment sous peu.

La gorge de Clay se serra lorsque Annabelle étira ses bras et leva le visage. Pas étonnant qu'elle soit si rayonnante – sa mère et elle étaient sur le point de mettre la main sur une petite fortune. Pour ne pas se faire repérer, il rabaissa le rideau, et remercia Henri avant de lui demander de lui faire un autre rapport dès qu'il en saurait plus sur Mlle Coakley. Après avoir raccroché, il essuya une légère pellicule de sueur qui s'était déposée sur son front et regarda de nouveau à travers la fente des rideaux.

La fenêtre était encore ouverte, mais Annabelle avait disparu. Des stores blancs flottaient au gré de la brise estivale au-dessus du rebord. Clay avala une gorgée de salive amère, tâchant de ne plus penser à ses yeux dorés qui se moquaient de lui. Ces dernières heures, il s'était même imaginé qu'il pourrait tomber amoureux…

Non, pas simplement amoureux. Plutôt amoureux fou, parce qu'il pensait avoir vu quelque chose dans ses yeux, une chose qui lui parlait.

Peut-être avait-il hérité de plus de faiblesses de son père qu'il ne voulait bien l'admettre.

Clay jura et referma brutalement sa fenêtre.

* * *

— Annabelle, que s'est-il passé hier entre Clay et toi ?

La jeune femme laissa prestement tomber les sous-vêtements légers à imprimé léopard dans le tiroir, puis elle se tourna pour s'appuyer sur la commode.

Sa mère se tenait sur le seuil de la porte de l'ancienne chambre de la jeune fille, drapée d'une nuisette en satin, deux tasses de thé à la main.

Annabelle écarquilla les yeux.

— Ce qui s'est passé ? s'étonna-t-elle d'une voix légèrement suraiguë.

— Oui, ma chérie. Entre Clay et toi.

— Hier ?

Belle hocha la tête, le visage exprimant une patience infinie tandis qu'elle lui tendait une des tasses fumantes.

Annabelle tenta de gagner du temps en soufflant sur la surface du breuvage agrémenté d'un nuage de lait et en avalant une première gorgée. Elle avait eu du mal à dormir toute une partie de la nuit en passant en revue les différentes raisons pour lesquelles Clay l'avait sauvée de cette malencontreuse situation au centre commercial. Mais ce qui l'avait surtout maintenue éveillée, c'était de penser à l'attirance qu'elle commençait à ressentir pour cet homme déconcertant. Elle maudissait Dom d'avoir remué ces fantasmes ridicules avec ses stupides suggestions.

— Annabelle ?

Levant les yeux d'un air coupable, elle savait que sa mère avait déjà repéré les poches sous ses yeux, mais ses sentiments si surprenants envers Clay étaient-ils si évidents que cela ?

— Je ne vois pas vraiment de quoi tu parles, maman.

— Il était pourtant évident que vous aviez eu des mots. À vrai dire, je suis déçue que tu ne fasses pas plus d'efforts pour bien t'entendre avec Clay.

Elle avala son thé, se brûlant la langue au passage. Clay et elle avaient à peine échangé quelques mots pendant qu'il essayait sa veste de costume. Elle avait trouvé un coin d'où elle pouvait l'observer lui, ainsi que la zélée Suzanne, et d'où elle pouvait tâcher d'ignorer les élans de gêne qui la parcouraient chaque fois que les mains de la blonde s'attardaient sur son cou, son torse ou sa taille. Annabelle avait fait une découverte majeure : quand Clay souriait, cette expression peu familière faisait s'accélérer les battements de son cœur. Et il semblait avoir le sourire facile avec la jeune femme qu'il connaissait de longue date. Il réservait apparemment tout son dédain à Annabelle et sa mère.

Et, au lieu de diminuer, la gêne qu'elle éprouvait à cause de cette histoire de vol à l'étalage allait croissant à mesure qu'elle revivait mentalement ces instants – il avait vu sa lingerie fine, pour l'amour du ciel. Elle s'était attendue à ce que Clay raconte cet incident d'un air railleur quand leurs parents les eurent rejoints, mais il n'en fit rien. Il avait poliment complimenté Belle sur la robe rose qu'elle avait choisie, puis rappelé à son père qu'ils avaient un rendez-vous en ville, avant de tourner les talons sans même lui lancer un regard.

S'avançant vers la fenêtre qu'elle avait ouverte, Annabelle haussa légèrement les épaules en réaction aux propos de sa mère.

— Au cas où tu n'aurais pas remarqué, Clay n'est pas aussi sympathique que son père. Je ne peux pas le forcer à m'apprécier.

— Mais tu pourrais être plus aimable envers ces deux hommes qui vont bientôt faire partie de notre famille, la réprimanda Belle.

Annabelle regarda au-delà des cimes des arbres pour voir la maison couleur saumon, se sentant étrangement attirée par le jeune homme qui séjournait là pour quelque temps. Avait-il seulement pensé à elle depuis la veille ? Décidant de changer de sujet embarrassant, la jeune femme se tourna avec un sourire.

— Maman, je ne t'ai jamais demandé comment Melvin avait fait sa demande.

— Il s'appelle Martin, ma chérie, rectifia Belle, s'asseyant sur le bord du lit et creusant ses fossettes. Il m'a emmenée dans mon restaurant italien favori – ils y servent le meilleur café gourmand au monde, commença-t-elle, les yeux dans le vague, poussant un soupir. Nous avons fait un repas incroyablement romantique, et quand le serveur a apporté les cafés, ma bague de fiançailles se trouvait au milieu des mignardises.

— Ça, c'est vraiment romantique ! marmonna Annabelle à regret, se demandant à quel film il avait volé cette scène. La pierre de ta bague est énorme, poursuivit-elle en s'asseyant près de Belle et en levant la main de sa mère pour mieux voir.

Sous le faible éclairage de la chambre, la pierre ovale reflétait tout un spectre de couleurs.

— Tu es sûre que c'est un vrai ? s'enquit-elle avec une pointe de moquerie dans la voix.

— Bien sûr que c'est un vrai, ma chérie ! déclara sa mère avec un rire qui retentit dans toute la pièce.

— L'a-t-il acheté chez un bijoutier du coin ?

— Je ne le lui ai pas demandé, répondit Belle, l'air étonné. Pourquoi ?

— Eh bien, je…, commença-t-elle avant de poser les yeux sur sa commode, une idée lui venant à l'esprit. J'ai pensé que l'on pourrait porter la bague de fiançailles de papa chez un bijoutier pour la faire ajuster.

— C'est une excellente idée ! déclara Belle avec un sourire approbateur. Et il y a celui qui a réparé une de mes chaînes en or, il est à deux pas du traiteur.

— C'est une bonne chose, parce qu'on dirait qu'une des griffes de la bague de Martin a bougé, répliqua Annabelle en désignant la bague de sa mère qui plissa les yeux.

— Vraiment ? Je ne vois pas très bien sans mes lunettes. Oh, là, là, pour rien au monde je ne voudrais perdre ce diamant.

— Je te dépose chez le traiteur et je m'occupe de porter les bagues chez le bijoutier. Comme ça, on pourra retourner chez le concessionnaire et jeter un nouveau coup d'œil à cette berline verte.

— Ma chérie, dit Belle en balayant les propos de sa fille d'un revers de main. Je ne vais pas te laisser m'acheter une voiture neuve.

— Maman, cette voiture n'est pas vraiment neuve, et tu ne peux pas continuer à manœuvrer le vieux tacot de papa, avec son voyant moteur qui s'allume tout le temps. Pourquoi ne m'en as-tu pas parlé ?

— Parce que je savais que tu en ferais toute une histoire, rétorqua sa mère. En plus, tu as besoin de cet argent pour ta nouvelle maison… n'est-ce pas ?

Annabelle décela une pointe de curiosité dans la voix de Belle, mais décida de l'ignorer. Sa mère se ferait peut-être plus de souci si elle savait d'où provenait cet argent. Elle tapota le genou de Belle dans un geste affectueux.

— J'insiste, je veux t'offrir une voiture digne de ce nom, et il me restera toujours assez pour mon acompte.

Le cœur de la jeune femme se gonfla de fierté – son père la féliciterait s'il était encore là. *Va au diable, Martin Castleberry ! Je suis capable de m'occuper de ma mère toute seule.*

— À propos de ta nouvelle maison, il va te falloir quelques meubles, lança Belle dont la voix et la mine étaient si innocentes qu'Annabelle fut immédiatement sur ses gardes.

— Eh bien, le mobilier de chambre que j'avais acheté pour mon appartement est toujours en très bon état, mais j'ai pensé faire retapisser mon canapé.

— Je te donne les miens, affirma sa mère.

— Tes canapés ?

— Mes meubles.

La jeune femme la dévisagea quelques secondes, puis éclata de rire.

— Maman, c'est ridicule. Tu ne peux pas me donner tes meubles – et toi, que va-t-il te rester ?

Annabelle venait à peine d'achever sa phrase quand elle comprit soudain où sa mère voulait en venir.

— Je vais vendre la maison, ma chérie.

— Quoi ? s'écria-t-elle, frôlant l'arrêt cardiaque.

— Martin et moi n'avons pas besoin de deux maisons, il semble donc logique de vendre celle-ci.

Après avoir repris son souffle tant bien que mal, Annabelle posa la main sur le bras de sa mère.

— Maman, tu ne peux pas vendre cette maison. En plus, Martin n'est pas propriétaire de celle dans laquelle il vit – elle appartient à Clay. Tu ne veux pas te retrouver à la merci de cet homme-là, si ?

— Martin va la lui racheter.

Annabelle fit la moue, commençant à comprendre.

— Avec les bénéfices de la vente de notre maison à nous ?

— C'est plus équitable si je participe un peu, insista Belle. Vu que Martin veut faire de moi la copropriétaire.

— Comme c'est généreux de sa part ! fit remarquer sèchement Annabelle. Maman, il est en train de profiter de toi.

— Bêtises, riposta Belle.

— Je crois que je ferais mieux de rentrer à Detroit sur-le-champ, déclara Annabelle en se levant, en proie à la panique.

— Quoi ? s'étonna sa mère en riant alors qu'elle se levait aussi. Mais je me marie samedi !

— Maman, il faut qu'on parle.

— Je sais que cela t'a fait un choc, ma chérie, commença Belle en agitant l'index. J'en suis navrée, mais tu ne me feras pas changer d'avis. Il est temps de s'habiller – l'agent immobilier va arriver d'une minute à l'autre.

Sa mère sortit de la chambre en faisant claquer ses talons sur le parquet.

Annabelle avait la tête qui tournait tandis qu'elle regardait Belle quitter les lieux. Elle avait envie de crier, mais elle restait sans voix et avait l'impression d'avoir tout le corps engourdi. Elle ne s'était jamais sentie aussi impuissante de sa vie, convaincue que Martin Castleberry épousait sa mère pour le peu d'argent que ses parents avaient réussi à épargner au fil des ans. Que faire ? Depuis le couloir, elle entendit le son de la douche de Belle et perçut le léger claquement de la porte de la cabine qui se refermait. Elle avala son thé, grimaçant quand le liquide entra en contact avec sa langue brûlée. L'amour vache pouvait-il aussi s'appliquer aux parents ?

La sonnette retentit et son cœur se mit à battre la chamade. Non seulement l'agent immobilier était en avance, mais en plus, vu que sa mère n'était pas en état de recevoir, c'était elle qui allait devoir jouer les maîtresses de maison. Tandis qu'elle enfilait une tenue, une idée lui vint à l'esprit et son visage s'illumina. *Sa mère n'était pas en état de recevoir.* Elle trottina jusqu'à la porte, affichant un sourire artificiel à l'adresse de la femme en tailleur qui se tenait sur le pas de la porte.

— Bonjour. Vous devez être de la société Realty.

— Oui, je suis Brenda Morra. Et vous êtes Mme Coakley ?

— Je suis sa fille. Ma mère est occupée pour le moment, expliqua-t-elle.

La femme tendit le cou pour observer l'intérieur de la maison.

— C'est une ravissante villa, constata-t-elle.

— Merci. Pourriez-vous revenir la semaine prochaine ?

Le sourire de l'agent immobilier s'éteignit.

— Il me semblait que Mme Coakley devait quitter la ville pour sa lune de miel et qu'elle ne serait pas de retour avant plusieurs semaines.

— Pas si j'arrive à mes fins, marmonna Annabelle.

— Pardon ? demanda la femme.

— Il pourrait y avoir un changement de programme, déclara la jeune femme avec le sourire le plus convaincant qui soit.

Derrière elle, le son de la douche de sa mère s'estompa.

— L'une de nous vous recontactera prochainement, ajouta Annabelle en reculant d'un pas. Merci d'être passée.

— Mais…, commença l'agent immobilier.

— On vous rappellera, assura Annabelle en lui adressant un geste d'adieu et en fermant la porte.

Elle s'appuya contre le battant et souffla sur ses mèches de cheveux trop longues.

— Annabelle, ma chérie, quelqu'un s'est présenté à la porte ? cria sa mère depuis la salle de bains.

— C'était l'agent immobilier, répondit-elle, choisissant soigneusement ses mots tandis qu'elle parcourait le couloir. Elle a… euh… décalé le rendez-vous.

Belle sortit la tête de la salle de bains, ses cheveux dégoulinants, son visage exprimant une certaine inquiétude.

— À quand ?

— Je ne connaissais pas ton planning, alors je lui ai fait savoir qu'on la rappellerait, expliqua Annabelle.

— Tu aurais dû me demander pendant que j'étais là, ma chérie.

— Elle était pressée, affirma Annabelle en croisant les doigts dans son dos.

Belle s'éclipsa de nouveau dans la salle de bains.

— Fais-moi penser à la rappeler quand on sera rentrées de nos courses.

Annabelle leva les yeux au ciel et articula silencieusement « ouf ».

— Oh, reprit la voix de sa mère dans la salle de bains. J'ai oublié de te dire que Martin et Clay nous emmènent dîner ce soir.

— Dîner ? répéta-t-elle, son cœur battant la chamade. Pourquoi ça ?

— Parce qu'il faut bien que l'on mange, ma chérie ! rétorqua Belle dans un éclat de rire retentissant. Et il y a pire que de dîner en compagnie de deux hommes séduisants.

Annabelle émit un grognement et s'affala contre le mur du couloir, épuisée avant même que sa journée commence. En cet instant, son travail à soixante-dix heures par semaine ressemblait à une partie de plaisir.

— Annabelle, lança sa mère qui réapparut. J'aimerais tellement que tu fasses un effort pour sympathiser avec Clay.

Elle retourna dans la salle de bains et poursuivit d'une voix étouffée :

— Tu sais, après avoir passé un peu de temps avec lui, je comprends ta réticence. C'est vrai qu'il a une personnalité très affirmée.

Annabelle étira sa bouche d'un côté puis de l'autre et étudia son reflet chiffonné dans le miroir au-dessus de la console du couloir.

— Enfin, après tout, il a bien abandonné ses affaires à Paris pour revenir assister au mariage, insista Belle.

— Je sais bien. Mais il est tellement arrogant…, fit remarquer Annabelle, qui en profita pour se dire qu'elle avait bien besoin d'une nouvelle coupe.

— Je sais, mais il a tout de même quelques belles réussites pour justifier cette attitude, objecta Belle.

— Et il a toujours l'air assez menaçant à mon égard, argua encore Annabelle en haussant les épaules.

— Cela n'était pas un problème dans *Les Hauts de Hurlevent*.

— Et, maintenant que j'y pense, il n'est même pas aussi séduisant que Martin l'était quand il avait le même âge.

Annabelle fit la moue et se rapprocha du miroir. Depuis combien de temps ne s'était-elle pas épilé les sourcils ?

— Oh, il n'est pas si mal quand il sourit, lança Belle.

— Ha ! Et ça arrive quand, ça ?

Elle tourna sa langue dans sa bouche, se souvenant de leur baiser fougueux avec un sourire suffisant.

— Il a un sens de l'humour assez fin. J'imagine qu'il faut apprendre à le connaître, constata sa mère.

Annabelle se redressa.

— Ce n'est pas le cas. Enfin, je ne le connais pas.

— Eh bien, merci pour le scoop, ma chérie. Ce soir, nous allons toutes les deux tâcher de se montrer un peu plus ouvertes d'esprit, hein ?

Le sèche-cheveux se mit en marche, et Annabelle se dirigea vers sa chambre en traînant les pieds. Après s'être cogné un orteil, elle sauta dans son lit, plus énervée que jamais. Elle ne se sentait pas très bien, comme si elle couvait quelque chose – ce qui pourrait expliquer la sensation générale de détachement qu'elle ressentait. Elle avait simplement envie de fermer les paupières pour que tout redevienne comme avant, avant que sa mère l'appelle le vendredi précédent pour lui annoncer ce mariage inattendu.

Et, comme si elle n'avait pas déjà assez de souci à se faire, elle savait maintenant qu'elle allait devoir passer sa soirée à regarder Clay dans le blanc des yeux dans un restaurant. Annabelle roula de l'autre côté en grognant.

Qu'allait-elle bien pouvoir se mettre ?

Chapitre 8

— Nous pouvons réajuster la bague pendant que vous patientez ici, madame, suggéra l'homme en acquiesçant avec courtoisie.

Sachant que sa mère serait certainement encore chez le traiteur pour une bonne heure, Annabelle hocha la tête.

— Parfait.

Le vendeur appela une jeune femme et lui remit la bague tout en lui transmettant ses instructions, puis il se tourna vers Annabelle avec un grand sourire.

— Dans ce cas, peut-être puis-je vous montrer quelques-unes de nos nouvelles pièces pour écourter votre attente ?

Se sentant nerveuse, car elle s'était emparée de la bague de sa mère pour vérifier que le diamant était authentique, Annabelle accepta et laissa l'homme lui présenter une gamme de gros bracelets. Elle lui fit même le plaisir d'essayer quelques bijoux, même si le seul qu'elle trouva vaguement intéressant était un simple bracelet en argent au motif de griffon prenant son envol. Au bout de quelques minutes, elle parcourut la boutique des yeux pour s'assurer que personne ne pourrait l'entendre. Elle fut soulagée de ne repérer qu'un autre client, un homme qui essayait des montres à l'autre bout du magasin.

Annabelle remercia le vendeur de lui avoir montré les bracelets, puis s'éclaircit la voix.

— Monsieur, je… euh… je me demandais si vous pouviez m'indiquer la valeur d'un bijou.

— Certainement. Nous pouvons estimer vos biens, mais il faut compter au moins quarante-huit heures pour évaluer une pièce, en raison des assurances.

Une vague de chaleur gagna la nuque de la jeune femme dont les doigts s'agitaient nerveusement. Elle finit par sortir l'écrin de son sac.

— À vrai dire, j'ai seulement besoin que vous me disiez si la pierre de cette bague est aussi précieuse que… euh…

— Qu'on vous l'a fait croire ? s'enquit-il, une étincelle dans les yeux.

Elle toussota dans sa main, puis hocha la tête.

— Alors jetons-y un coup d'œil rapide, lança-t-il en sortant un monocle de joaillier de sa poche.

Annabelle se mordit la lèvre inférieure tandis que l'homme examinait l'anneau en chantonnant sans rien indiquer du fond de sa pensée. Au bout d'une bonne minute, il abaissa ses verres, la mine indéchiffrable.

— C'est un cadeau ?

Annabelle acquiesça de nouveau.

Le vendeur lui adressa un sourire pincé et lui rendit la bague.

— Mademoiselle, non seulement cette pierre est véritable, mais en plus, selon mes rapides observations, elle est d'une qualité hors pair.

Elle ne put réprimer une moue de déception, ce qui surprit l'homme.

— Ce n'est pas ce à quoi vous vous attendiez, madame ?

— Non, murmura-t-elle. Enfin si, ajouta-t-elle avec empressement et en se composant une expression réjouie, bien entendu.

Bon sang – la seule raison pour laquelle elle avait hâte de se retrouver au dîner avec les Castleberry, c'était pour annoncer triomphalement que le diamant était un faux et commencer à démêler le tissu de mensonges dans lequel Castleberry père était parvenu à embobiner sa mère.

— Ah, et voici votre autre bague, madame. Parfaitement ajustée et nettoyée.

Il tendit à Annabelle la bague de fiançailles que son père avait offerte à sa mère. Elle sentit une boule se loger dans sa gorge alors qu'il passait l'anneau à son doigt. « Anna, promets-moi que tu veilleras sur ta mère s'il m'arrive quelque chose. »

— Je fais ce que je peux, papa, murmura-t-elle avant de remercier le vendeur et de lui régler l'ajustement.

D'un pas lourd, elle se dirigea vers la sortie, distraite par le poids de la bague à sa main gauche auquel elle n'était pas habituée, attristée de constater qu'elle avait dû la resserrer pour qu'elle lui aille alors que sa véritable place était au doigt de sa mère. Que faire maintenant ? Belle allait épouser Melvin Castleberry dans quelques jours, et elle doutait de pouvoir y changer grand-chose. Bon, si le traiteur avait respecté les formes, il avait peut-être déjà suffisamment accablé Belle de ses tarifs pour qu'elle remette en question toute la réception. Quoi qu'il en soit, il fallait qu'elle retrouve sa mère le plus rapidement possible, pour s'assurer qu'elle ne dépassait pas les bornes.

Les mariages – beurk !

L'ondée estivale qui venait de se déclarer ne faisait qu'ajouter à la blessure que ressentait Annabelle au plus profond. Dépourvue de parapluie, elle tint son sac sur sa tête et trottina en direction de la Buick bleue de sa mère. Après avoir laissé tomber les clés à deux reprises, elle s'engouffra dans la voiture. Les cheveux trempés, elle s'assit derrière le gigantesque volant et frissonna quelques secondes avant d'allumer le moteur. Le plus gros avantage de la voiture de Belle, c'était ses dimensions : les automobilistes l'évitaient – ce qui était assez rare pour être noté à Atlanta.

Mais à peine était-elle arrivée de l'autre côté du centre commercial que le voyant du moteur se mit à clignoter, et la voiture s'arrêta. Elle remit le contact ; le moteur commença à geindre, mais il ne démarra pas, même pas à la deuxième ou troisième tentative. Annabelle donna un grand coup de volant, puis s'abandonna aux larmes contre lesquelles elle avait lutté des jours entiers. La détermination que Belle affichait quant à ce mariage l'avait mise sur les nerfs, et les nuits sans sommeil qu'elle avait passées à décortiquer ses surprenantes rencontres avec Clay n'avaient pas contribué à améliorer la situation. Et maintenant ça.

Elle posa sa tête au milieu du volant et se mit à brailler.

* * *

Clay revenait de chez lui, où il avait vérifié l'avancement des travaux de peinture, quand son téléphone se mit à sonner. Il consulta son portable et vit s'afficher le nom d'Henri. Se raidissant dans l'attente de mauvaises nouvelles, il décrocha.

— Salut, Henri, quoi de neuf? lança-t-il.

— C'est la fille, annonça le détective privé. Sa voiture est en panne et il pleut des trombes d'eau. Je suis peut-être un peu vieux jeu, mais je me suis dit que je devais l'aider d'une façon ou d'une autre.

Se remémorant l'expression de ses grands yeux noisette quand elle avait craint d'être arrêtée au centre commercial, Clay comprenait parfaitement les élans protecteurs d'Henri. Mais il ne voulait en aucun cas que ce dernier y perde sa couverture.

— Où est-elle? s'enquit-il.

— Centre commercial de Sherell, sur Bruice Road.

Clay regarda autour de lui pour se repérer.

— Je ne suis pas loin – à vrai dire, je suis en train de rouler sous la pluie en ce moment même. Je lui dirai que je passais là par hasard.

— Elle est dans une Buick bleue devant chez le bijoutier.

— Le bijoutier ?

— Oui, elle a fait ajuster une bague de fiançailles pour elle.

Clay grimaça. Annabelle était-elle donc fiancée avec ce Dom dont il avait entendu sa mère parler l'autre jour ?

— Vous en êtes sûr ? s'enquit-il.

— Oui, je les ai entendus, confirma le détective. Et elle avait aussi la bague que votre père a offerte à sa mère – elle voulait que le joaillier en estime la valeur.

Le cœur de Clay ne fit qu'un bond – il avait vu la facture de cette bague, et ce caillou valait son pesant de cacahuètes.

— Vraiment, fit-il remarquer.

— Je n'ai pas entendu toute la conversation, mais elle a eu l'air déçue par la réponse du vendeur.

Clay sentit son moral descendre à zéro. Un bon pesant de cacahuètes, mais pas autant que ce à quoi elle s'attendait manifestement.

— Merci, Henri. Au fait, papa et moi dînons avec elles ce soir. Il est donc inutile de les surveiller, mais profitez-en pour faire des recherches sur la vie privée de la fille dans le Michigan – ses relations amoureuses, ce genre de choses.

Il avait besoin de ces informations pour mieux protéger son père.

Pas pour satisfaire sa propre curiosité, loin de là.

— Pas de problème, Clay.

Celui-ci raccrocha en se mordant l'intérieur de la joue. Annabelle n'avait pas pu porter la bague de sa mère chez le bijoutier à son insu. Cette dernière était donc dans le coup. Avaient-elles l'intention de mettre l'anneau au clou ? Ou s'en servaient-elles comme d'un indicateur de la fortune de son père ? Il se souvint de l'expression effrayée de la jeune fille dans le centre commercial et arbora un air méprisant. Une équipe mère-fille, qui se mesurait à des adversaires père-fils. Pas étonnant qu'il commence à ressentir cette tendresse envers Annabelle – elle avait certainement tout programmé depuis le début, la manipulatrice. Plus il pensait à la façon dont elle s'était immiscée dans son subconscient, plus cela l'irritait. Sa seule consolation consistait à se dire que, s'il cédait à ses ruses, c'était simplement parce qu'elle était une vraie pro.

Quelques minutes plus tard, il avait le centre commercial en vue, et la voiture en panne ne fut pas difficile à repérer étant donné la file de voitures qui ralentissaient pour contourner l'obstacle. Des conducteurs impatients faisaient retentir leur Klaxons en passant devant la femme au volant de la Buick qui semblait attendre le déluge. Malgré ses fermes résolutions, Clay ressentit un élan de compassion pour elle, songeant qu'il n'aimerait pas que sa sœur

– s'il en avait une – se retrouve dans une si fâcheuse situation.

Alors qu'il attendait patiemment son tour, elle jaillit subitement du véhicule et courut sous la pluie en direction d'une banque, allant se réfugier sous l'auvent du distributeur pour s'ébrouer tel un petit chien trempé jusqu'aux os. Il détesta ressentir cet instinct protecteur qui lui monta du fond des entrailles quand il la vit dans un tel état de vulnérabilité. Clay se rangea près du distributeur, puis baissa sa vitre, feignant la surprise dans sa voix.

— Annabelle ?

* * *

La jeune femme fit la grimace quand elle reconnut la voix de Clay, puis elle se retourna lentement. C'était bien lui, au volant d'une splendide berline de luxe, séduisant, tout sourires… et au sec.

— Salut, lança-t-elle avec autant de nonchalance qu'elle le pouvait tout en écartant la longue frange trempée de ses yeux.

Son short en coton et son tee-shirt léger lui collaient à la peau.

— Panne de voiture ?

— Oui.

Il la considéra quelques secondes, puis lui fit un signe de la tête.

— Eh bien, montez.

Partagée entre l'exaspération et la gratitude, elle contourna le véhicule en courant et se glissa dans le siège passager. La porte se referma dans un bruit mat. Sa peau humide crissa contre le cuir gris du siège, et sa poitrine se souleva rapidement à mesure qu'elle reprenait son souffle après ce sprint. Elle se sentait comme un chat échaudé. Clay quant à lui était imperturbable et incroyablement sexy dans son jean et son polo. En le revoyant, Annabelle était à la fois rassurée et ennuyée, d'une façon qu'elle n'aurait su expliquer. C'est pourquoi elle songea qu'elle n'était pas heureuse de le revoir, mais plutôt heureuse de ne pas avoir à attendre une dépanneuse.

— Merci, murmura-t-elle en passant une main sur ses cheveux. Vous faisiez des courses ?

— J'avais… euh… un dépôt à faire, indiqua-t-il en désignant la banque d'un geste.

— De dix-neuf mille neuf cents dollars ? demanda-t-elle doucement.

— Vous êtes trempée, fit remarquer Clay en fronçant les sourcils.

Prenant conscience que sa personne dégoulinante n'était pas exactement ce qu'il y avait de mieux pour un intérieur cuir, elle dit :

— Désolée pour les sièges.

Il secoua la tête pour signifier que ce n'était pas là un souci et se pencha vers elle. L'espace d'une fraction de seconde, Annabelle eut le souffle coupé – il allait l'embrasser une nouvelle fois. Sa bouche se tendit dans cette attente.

— D'habitude, j'ai une serviette de golf qui traîne par là, déclara-t-il en ouvrant la boîte à gants.

— Ah.

Il en sortit une petite serviette blanche qu'il lui tendit.

Gênée, Annabelle avait perdu de ses réflexes.

— Elle est propre, précisa-t-il en dépliant la serviette.

Elle l'accepta avec un sourire pincé et épongea les gouttes d'eau qui perlaient sur ses bras.

— Qu'est-il arrivé à la voiture de votre mère ? demanda Clay.

— Le voyant du moteur s'allume souvent ces derniers temps. Mais cette fois je crois que c'est vraiment fini.

— Ce n'est pas très rassurant de circuler dans ces conditions, observa Clay.

— Non, mais maman va bientôt avoir une nouvelle voiture.

Elle emmènerait Belle chez le concessionnaire le lendemain pour acheter cette berline d'occasion, qu'elle le veuille ou non.

Il engagea son véhicule sous la pluie et manœuvra pour se retrouver nez à nez avec la Buick.

— Au cas où ce serait simplement un problème de batterie, précisa-t-il en voyant l'air effaré de la jeune femme.

— Je ne pense pas que ce soit ça, déclara-t-elle. Le moteur ne repartira pas.

— Vous pourriez être à court d'essence ? hasarda-t-il, une pointe de machisme dans la voix, ce qui eut le don de la vexer.

— Non, je ne suis pas en panne sèche, assura-t-elle d'une voix chantante typiquement féminine.

— Je vais jeter un rapide coup d'œil sous le capot, à moins que vous ne préfériez que je vous raccompagne chez vous d'abord.

Annabelle haussa un sourcil. *Waouh, un as de la finance mécano à ses heures perdues !*

Il partit d'un rire franc, ce qui la surprit. Son éclat de rire un peu rauque s'éternisa. Elle éprouva une certaine satisfaction à l'idée d'être capable de provoquer le fou rire d'un homme si réservé. Elle voulut réitérer l'expérience.

Clay tendit une main, offrant là à Annabelle un bel aperçu de ses nombreuses callosités. Il ne les avait pas eues simplement en transportant son attaché-case.

— Vos clés ?

Elle fouilla dans son sac de toile et finit par dégotter ses clés dans un recoin éloigné.

— En réalité, ma mère m'attend chez le traiteur. J'allais passer la prendre après avoir fait quelques… quelques courses.

Un petit frisson la parcourut. Elle se sentit mal à l'aise en se demandant de quoi elle avait l'air en cet instant – Clay devait la considérer comme une catastrophe ambulante.

— Tenez, dit-il en attrapant sur le siège arrière un paquet de vêtements emballés dans un sac de teinturier.

Il ôta un cintre d'un sweat en coton noir et le lui tendit.

— Ce sera un peu grand pour vous, mais ça devrait vous tenir chaud.

— Euh… merci, bégaya-t-elle.

Le sweat était doux et confortable, mais elle se mordit la lèvre inférieure, hésitant à enfiler un vêtement appartenant à cet homme, surtout après avoir vu sa marque. *Aïe aïe aïe.*

Il activa une commande du tableau de bord, et les fanes d'aérations se mirent à diffuser de l'air chaud.

— Ne bougez pas, je vais voir ce que je peux faire.

Quand la porte se referma derrière lui, elle s'enveloppa les épaules dans le sweat tout en l'observant dans le rétroviseur. La pluie semblait avoir gagné en violence – incroyable mais vrai. Il contourna l'arrière de sa voiture et sortit du coffre une casquette de base-ball qu'il s'enfonça sur la tête. Puis il s'avança vers le côté conducteur de la voiture de sa mère, qu'il déverrouilla pour se faufiler à l'intérieur. Une minute plus tard, il ressortit et souleva le capot de la Buick. Les muscles de son dos roulaient sous son tee-shirt trempé, ce qui rappela à Annabelle à quel point son corps était puissant.

Protégée… Elle se sentait parfaitement protégée.

Bouleversée de prendre conscience qu'un simple geste aimable de ce genre pouvait l'affecter, Annabelle décida de s'occuper les mains et entreprit de se sécher à l'aide de la serviette qu'il lui avait donnée. Elle commença par égoutter les pointes de ses cheveux, puis elle déplia la serviette éponge et considéra le logo vert pâle. *Kenton Keys Country Club, Atlanta.* Elle secoua la tête en voyant ce signe de richesse extérieure, témoin du style de vie auquel il était habitué, se demandant combien de temps il passait sur les greens chaque année. *Ce n'est pas le même monde*, se remémora-t-elle. S'ils sortaient ensemble, cela ne mar…

La portière du côté conducteur s'ouvrit et Clay se faufila à l'intérieur, s'ébroua, puis jeta sa casquette au pied de la banquette arrière. Il avait une mine sinistre et des gouttes d'eau perlaient sur le bout de son nez.

— Le moteur ne repartira pas, annonça-t-il.

— Je vous l'avais bien dit ! rétorqua Annabelle en riant avant de lui passer la serviette.

— C'est peut-être l'alternateur, indiqua-t-il en s'essuyant la nuque. Je peux appeler un garage auquel j'ai déjà eu recours, proposa-t-il en brandissant son téléphone.

— S'ils sont spécialistes de Mercedes, ils n'accepteront peut-être pas la voiture de maman, répliqua-t-elle en secouant la tête tandis qu'il démarrait.

— Ce n'est pas un concessionnaire à proprement parler – ils ont réparé le tuyau d'alimentation en carburant de mon pick-up.

— Pick-up ? répéta-t-elle en clignant des yeux. Vous avez un pick-up ?

— Cela a l'air de vous étonner.

— Non, riposta-t-elle rapidement. Enfin, si. Vous ne ressemblez pas à quelqu'un qui aurait besoin d'un pick-up.

— Peut-être que vous ne savez pas tout de moi, contrairement à ce que vous pensez, lança-t-il en lui jetant un regard entendu.

Il composa un numéro, puis s'assura que la voiture serait remorquée puis réparée aussi vite que c'était humainement possible.

Les paroles du jeune homme résonnaient dans la tête d'Annabelle alors qu'elle l'observait en train de parler, de gesticuler, remarquant la façon dont sa chevelure brune frisottait au-dessus de son front et autour de ses oreilles. *Peut-être que je ne sais pas tout de vous… et peut-être que ça me plairait de savoir.* Cette révélation la surprit au plus haut point, et elle se remit immédiatement sur la défensive. La chose la plus stupide, la plus autodestructrice qu'elle pourrait faire serait de tomber amoureuse de Clay Castleberry.

— Quelqu'un va venir dans quelques minutes, déclara-t-il en rangeant son téléphone. Ensuite, nous irons chercher votre mère, à moins que vous n'ayez d'autres courses à faire.

Le regard médusé d'Annabelle passa involontairement sur la bague de Belle qui étincelait à sa main gauche.

— Non, j'avais terminé.

— Oh, s'étonna Clay en suivant son regard. C'est nouveau, ça.

— Euh… non, pas vraiment.

Elle hésitait à lui expliquer qu'elle avait accepté la vieille bague de sa mère, car cela pouvait lui laisser croire qu'elle s'était résignée à l'idée de cette union entre leurs familles.

— Ah bon ? s'enquit-il en tendant la main vers la bague.

À son simple contact, Annabelle sentit sa main parcourue d'un frisson tandis qu'il examinait la pierre modeste, mais brillante.

— Je n'avais pas remarqué que vous la portiez auparavant.

— J'ai, euh… j'ai dû la faire ajuster.

— Ah, reprit-il. Je suis un peu étonné – je pensais que votre profession vous avait vaccinée contre le mariage sous toutes ses formes.

Annabelle faillit froncer les sourcils, en proie à la confusion, puis elle comprit dans un sursaut qu'il s'imaginait qu'elle était fiancée… elle. Un petit rire commença à se former dans sa gorge – aussi absurde que paraisse cette idée, c'était l'arme idéale pour calmer les ardeurs du jeune homme. Même si Clay avait eu la moindre intention de l'embrasser une nouvelle fois, il ne perdrait certainement pas son temps avec une femme déjà prise.

— Eh bien, dit-elle dans un souffle, passant une mèche de cheveux trempés derrière son oreille humide, peut-être que vous ne savez pas tout de moi, contrairement à ce que vous pensez.

— Juste retour des choses, admit-il, son sourire s'estompant. J'imagine que vous êtes informée du programme de la soirée.

Il n'a donc aucune hâte de se retrouver à ce dîner, constata-t-elle avec une pointe de déception. Annabelle tâcha de hausser les épaules sans rien laisser paraître.

— Vu que nos parents insistent pour nous traîner avec eux, peut-être pouvons-nous essayer d'en profiter pour les raisonner et mettre un terme à cette union ridicule.

— Bonne idée, répliqua-t-il alors qu'une dépanneuse s'arrêtait près d'eux. Essayons de tirer le meilleur parti de cette fâcheuse situation.

— Oui, essayons, acquiesça Annabelle en hasardant un sourire hésitant.

Chapitre 9

— Je compte sur toi, Clay, lança son père tandis qu'ils se tenaient au bar du restaurant. Promets-moi de bien te tenir ce soir.

Clay fit la grimace.

— Au cas où tu n'aurais pas remarqué, papa, je ne suis plus un gamin qu'on réprimande comme ça.

Non que son père l'ait beaucoup réprimandé dans son enfance – Martin s'était montré relativement laxiste en matière d'éducation.

— Mon fils, reprit celui-ci dans un soupir. Si tu n'es pas content de ce mariage, libre à toi, mais ne t'en prends pas à Belle, et encore moins à sa fille.

— Annabelle ? s'étonna le jeune homme.

— Belle et moi aimerions que vous tâchiez de vous entendre, tous les deux, indiqua son père en haussant un sourcil.

— Cet après-midi, c'est moi qui suis passé la récupérer parce que sa voiture était en panne, oui ou merde ?

— Oui, et tu es d'une humeur massacrante depuis, précisa Martin.

— Je ne peux pas m'en empêcher, se récria Clay en posant bruyamment son verre sur le bar. Quelque chose chez cette femme me déplaît.

— Et je ne vois absolument pas de quoi il peut s'agir, déclara Martin en regardant par-dessus son épaule et se levant brusquement.

Alerté par le ton de la voix de son père, Clayton se retourna ; il sentit sa bouche s'assécher sur-le-champ. Annabelle et sa mère se trouvaient à l'entrée du restaurant, et si Belle était certainement séduisante pour son âge, tous les hommes de la salle se retournèrent pour admirer la jeune femme.

Elle portait une robe jaune sans manches arrivant bien au-dessus de ses genoux délicats, et des sandales argentées à talons hauts. Clay n'avait jamais été un fétichiste des chaussures, mais il avait les yeux rivés sur les fines boucles de ses nu-pieds – alors qu'il était certain que c'était plutôt les frêles chevilles qu'elles enlaçaient qui avaient le plus d'allure. Elle avait soigneusement noué ses cheveux en une queue-de-cheval qui lui retombait dans la nuque. Cette coiffure mettait en valeur son visage radieux, à peine assombri par un petit froncement de sourcils quand elle balaya la salle du regard. Le rythme cardiaque de Clay s'accéléra brutalement lorsqu'il prit conscience que c'était lui qu'elle cherchait.

Un carré de papier coloré qu'il reconnut comme étant le ticket du voiturier échappa des doigts d'Annabelle qui ne s'en rendit pas compte. Au moins une demi-douzaine d'hommes se ruèrent sur le ticket pour approcher la jeune femme, ce qui poussa Clay à l'action. Il traversa l'espace en quatre grandes foulées et arracha le ticket des mains d'un homme au visage plein d'espoir.

— Merci, dit-il.

Alors qu'il se tournait vers Annabelle, il fut frappé par le besoin qu'il ressentait de marquer son territoire dans cette salle pleine de rivaux aux aguets.

— Bonsoir, lança-t-il à la jeune femme.

— Salut, dit-elle dans un sourire furtif.

Ses yeux avaient des reflets dorés sous l'éclairage tamisé. Elle ressemblait à une star de cinéma.

Il brandit le ticket du voiturier.

— Je vais vous le garder.

Elle hocha la tête, et le jeune homme détecta une délicieuse senteur de propreté – quelque chose qui tenait du savon au parfum floral et du shampooing aux fruits. La toilette des femmes avait toujours constitué un mystère des plus intrigants pour Clay – les heures qu'elles passaient au milieu de flacons parfumés pour sortir de la salle de bains avec une peau douce, des joues roses et une odeur enivrante. C'était l'un des souvenirs les plus chers qu'il avait de sa mère. Qu'elle porte une robe de soirée ou un vieux tee-shirt pour jardiner, elle sentait toujours bon, comme une grande dame. La peau d'Annabelle, parfaitement hydratée, le poussa à l'imaginer immergée dans un grand bain moussant – vision qui le troubla profondément.

La voix de son père se fit entendre derrière lui, et il s'efforça de se concentrer sur ses paroles.

— … viennent d'appeler notre nom, mon fils. Notre table est prête.

Le charme étant brisé, il se retourna pour voir Martin et Belle les précéder. Il fit un geste en direction d'Annabelle.

— Après vous.

Puis il lui emboîta le pas, sa main effleurant le creux des reins d'Annabelle, juste au cas où elle se perdrait en suivant l'hôtesse et leurs parents.

— Je vois que la compagnie aérienne a retrouvé vos bagages.

— Pas encore, répliqua la jeune femme en faisant la moue. En comptant cette robe rose de demoiselle d'honneur, ça me fait deux robes inutiles que j'ai été obligée d'acheter et que je ne porterai probablement plus jamais.

— Vous ne mettez pas de robes pour votre fiancé ? demanda-t-il, l'air de rien.

— Euh, eh bien…

— Me voilà flatté.

— Oh, il n'y a là rien de flatteur, objecta-t-elle d'un air hautain, les yeux rivés droit devant elle.

— D'un autre côté, admit-il à regret, ce bon vieux Dom devait tout savoir de ce petit ensemble coquin à imprimé léopard.

Il jeta un coup d'œil à sa main gauche et fut étonné de n'y voir aucun bijou.

— À propos, où est votre bague ?

Elle faillit trébucher en couvrant sa main gauche de sa main droite.

— J'ai dû l'oublier.

Clay fit la moue, songeant qu'Annabelle devait probablement mettre et enlever cette bague au gré de ses fantaisies. Il se demanda si Dom du Michigan savait à quel genre de femme volage il s'était fiancé. Puis il fronça les sourcils. Peut-être que le promis d'Annabelle était un autre vieillard qui ne s'assumait pas, comme son père, et qui ne se rendait pas compte qu'on le menait par le bout du nez. Peut-être que son fiancé constituait la source d'argent dont la mère d'Annabelle semblait se soucier le premier jour, au bord de la piscine.

— Quelque chose ne va pas ? s'enquit Annabelle dans un murmure discret alors qu'il l'aidait à s'asseoir.

— Non.

— Alors pourquoi me regardez-vous comme si j'étais le diable en personne ?

— D'après mes informations, sous cette apparence trompeuse, c'est peut-être bien ce que vous êtes, chuchota Clay à son oreille pendant qu'elle s'asseyait.

Elle tira une serviette de lin blanc de son assiette et la déplia sur ses genoux en susurrant :

— Vous admettez donc ne pas tout savoir ?

— Je ne répondrai qu'en présence de mon avocat, lança-t-il sans pouvoir réprimer un sourire tandis qu'il prenait place à sa gauche.

Cette femme est de toute beauté, constata-t-il, admirant la grâce de son cou élancé, remarquant comme le jaune de sa robe faisait ressortir l'éclat doré de ses yeux. *Dommage qu'elle ne soit pas fiable pour un sou.* Il jeta un coup d'œil de l'autre côté de la table, exaspéré de voir le vieux couple tellement absorbé dans son idylle. Ils se serraient les mains et échangeaient des mots doux à voix basse. En voyant briller les yeux de son père, Clay se sentit furieux contre la femme qui n'éprouvait sans doute pour le vieil homme qu'une affection artificielle ou de courte durée.

Clay savait pertinemment que la longue succession de liaisons de son père n'était qu'une tentative pour remplacer sa mère, que Martin avait tant aimée. Il éprouvait de la peine pour son père, car lui-même se sentait parfois un peu seul. D'un autre côté, il refusait d'aggraver les inévitables peines de cœur de son père en encourageant un mariage avec une autre de ces croqueuses de diamants. Son regard revint sur la déesse aux cheveux bruns qui tapotait la table de l'ongle de son index tout en étudiant le menu. Il ne pouvait s'empêcher de se demander s'il ne se trouvait pas là en présence de deux femmes vénales.

* * *

Annabelle sentit le regard sombre de Clay posé sur elle, mais elle refusa de lever les yeux vers lui, de peur qu'il ne se rende compte de la nervosité que provoquait en elle cette situation. Le parfum, le restaurant chic, les délicieuses mélodies s'échappant du piano de la salle, l'éclairage aux teintes rosées – tout ici était à l'opposé des repas qu'elle avait l'habitude de prendre en vitesse avec ses associés. Dîner avec leurs tourtereaux de parents – voilà qui ressemblait fort à un double rendez-vous galant. Et Clay était trop séduisant dans son costume marine et sa chemise d'un blanc éclatant pour qu'elle parvienne à penser à autre chose. Impossible de se concentrer sur quoi que ce soit d'autre ce soir-là. Elle avait eu beau parcourir le menu au moins trois fois de suite, elle n'avait retenu aucun plat.

— Boirez-vous du vin ? demanda-t-il, la forçant à le regarder.

Il la dévorait de ses yeux bleus.

— Non merci, déclina-t-elle, souhaitant garder les idées claires.

— J'ai déjà commandé une bouteille de champagne, annonça Martin en adressant un sourire béat à Belle. Pour marquer le coup.

Annabelle et Clay échangèrent un regard durant une fraction de seconde.

— Bien sûr, acquiesça Clay d'une voix faible.

Un serveur vint prendre leur commande – Annabelle se décida pour la dorade –, et une jeune serveuse apporta un seau à champagne à leur table. Du Dom Pérignon. Aux oreilles d'Annabelle, le bruit du bouchon qui sauta ressembla à un coup de feu – c'était une image qui lui parlait en cet instant. Le champagne ressemblait à de l'or liquide dans son verre, les fines bulles attestant la qualité du breuvage

– on était bien loin du mousseux que ses parents achetaient pour les grandes occasions.

Elle retint ses larmes et s'agrippa à sa flûte, plus déterminée que jamais à protéger sa mère.

Martin toussota, et elle se rendit compte qu'il attendait que Clay porte un toast. Le jeune homme cligna des yeux, puis brandit lentement sa flûte. Annabelle voyait bien qu'il luttait pour trouver les mots justes.

— À Martin et Belle, finit-il par lancer. Puissent-ils tirer de la vie tout ce qu'ils méritent.

Sa voix semblait assez cordiale, mais le double sens de ces paroles n'échappa pas à la jeune femme. De leur côté, Martin et Belle étaient trop absorbés par leur passion pour s'offusquer de son manque de sincérité. Ils entrechoquèrent leurs coupes de cristal et burent de grandes rasades. Quand Annabelle fit tinter sa flûte contre celle de Clay, leurs regards se croisèrent. Le manque de confiance qu'elle décela chez lui n'avait d'égal que ses propres doutes. Ni l'un ni l'autre ne semblait avoir envie d'être là. Elle porta sa flûte à ses lèvres et, tandis que le champagne pétillait délicieusement sur sa langue, Annabelle regretta qu'ils ne trinquent pas à une occasion plus réjouissante.

Martin rayonnait de joie.

— Plus que quelques jours avant que Belle devienne Mme Martin Castleberry.

Annabelle ressentit un haut-le-cœur, mais s'efforça d'afficher un sourire mielleux.

— Maman, as-tu raconté à Martin que le traiteur voulait te facturer deux fois plus en raison des délais ? lança-t-elle.

— Deux fois plus ? Cela semble un peu exagéré, objecta-t-il en fronçant légèrement les sourcils.

— Je sais, murmura Belle, mais il n'y avait pas d'autre solution. Pense plutôt à tout l'argent qu'on économise sur les invitations.

Annabelle s'éclaircit la voix discrètement.

— Vous pourriez repousser la cérémonie de deux petites semaines – songez à tout ce que vous économiseriez sur la nourriture, suggéra-t-elle.

— Deux semaines ? s'étonna sa mère en la fusillant du regard.

— Ce qui vous donnerait quelques jours de plus pour mettre au clair votre contrat de mariage, ajouta Clay.

— Mais tout le monde vient ce samedi, objecta Belle en secouant la tête. Annabelle, ta tante Macey et ta cousine Lorie seront là. Sans parler de Lucille et Hollis, Maris et Lawrence, Jennifer, Emily, Porter…

— Je sais, maman. Toute la famille, même la plus éloignée, s'achemine vers Atlanta.

Au prix d'efforts surhumains, elle s'empêcha de lever les yeux au ciel. Ses cousins n'attendaient qu'une chose : rencontrer une star du cinéma. Et manger une bisque de homard deux fois plus chère que la normale. Et, enfin, harceler cette éternelle célibataire d'Annabelle.

Martin éclata de rire.

— Mes deux sœurs vont t'adorer, Belle. Et, bien sûr, elles sont toujours ravies de trouver une excuse pour revoir Clay. Elles ne désespèrent pas de faire le voyage depuis le Massachusetts pour le mariage de mon fils.

Annabelle posa les yeux sur le jeune homme. Il fronça ostensiblement les sourcils, indiquant par là que ses tantes adorées risquaient fort d'être déçues.

— Pour en revenir au contrat de mariage, reprit Clay en regardant son père. J'ai parlé à ton avocat aujourd'hui et il m'a confirmé qu'il pouvait vous rencontrer demain matin.

La mine de Martin s'assombrit.

— Belle et moi ne voulons pas de contrat de mariage.

— Je suis d'accord avec vous, approuva Annabelle à l'adresse de Clay. En réalité, je serais heureuse de rencontrer votre avocat pour discuter des intérêts de ma mère.

— Je n'en doute pas une seconde, marmonna Clay.

— Vous voulez un contrat de mariage, oui ou non ? lança Annabelle à Clay en fronçant les sourcils.

— Bien sûr que oui, riposta-t-il. Mais il est inutile que vous vous en mêliez. L'avocat de papa a maintes fois établi ce genre de contrats.

— Je suis sûre que votre père est un client qui doit bien l'occuper, pesta-t-elle entre ses dents.

Martin se leva et tendit la main à Belle.

— Vu que ces deux-là ont l'air d'avoir envie de se chamailler, pourquoi n'irions-nous pas danser, toi et moi ? suggéra-t-il.

— Avec plaisir ! acquiesça Belle en lançant un regard ennuyé à Annabelle tout en prenant la main de Martin.

La jeune femme sirota son champagne tout en regardant le couple évoluer sur la petite piste de danse, exécutant des pas complexes que personne de sa génération ne saurait reproduire. Son père préférait la radio à la télévision, et quand un de ses airs favoris retentissait dans le poste posé sur le réfrigérateur, il attirait sa mère en tablier au centre de la cuisine et la faisait virevolter. Ils se dévoraient du regard comme si rien au monde n'avait plus d'importance que leur amour. Annabelle en eut les larmes aux yeux, mais elle se mordit la langue pour maîtriser ses souvenirs. Comment Belle pouvait-elle oublier si facilement ?

— Quelque chose ne va pas ? s'enquit Clay.

Annabelle cligna des yeux et émit un ricanement nerveux.

— Oh, rien ne va.

— Ah bon ? s'étonna le jeune homme. Les choses ne se déroulent pas comme prévu ?

Elle se hérissa en voyant son air moqueur.

— Non, pas vraiment. Et de votre côté, tout va bien ? lança-t-elle.

Il but une gorgée sans la quitter des yeux. Pendant une fraction de seconde, elle crut percevoir une étincelle de désir au fond de son regard. Le rouge lui monta aux joues.

— Non, finit-il par dire. Pas vraiment.

— Mesdames et messieurs, annonça une voix. Je vous demande quelques instants d'attention, s'il vous plaît.

Annabelle se retourna pour voir le pianiste s'adresser aux convives dans un grand sourire. Sur la piste, Martin et Belle ralentirent le rythme de leurs pas.

— Ce soir, nous avons l'honneur de recevoir l'acteur légendaire, M. Martin Castleberry, et nous sommes heureux de contribuer à la célébration de ses récentes fiançailles.

Dans la lumière des projecteurs, Belle et Martin rayonnaient de joie sous un tonnerre d'applaudissements. Annabelle se joignit aux acclamations à contrecœur, étonnée de voir l'aisance dont sa mère faisait preuve, tandis que Clay restait de marbre.

— Allez, venez donc rejoindre les futurs mariés sur la piste ! s'exclama l'homme à la cantonade.

Le pianiste entama une version lente et jazzy de *You Made Me Love You* et se mit à chanter les premiers vers avec une pointe de nostalgie…

Plusieurs couples quittèrent leurs tables pour se joindre à Martin et Belle sur la piste. Annabelle chercha sa mère des yeux. Cette dernière fit signe à Clay et à sa fille de les rejoindre, poussant Martin à en faire autant. Annabelle éprouva une sorte de picotement, une gêne, se sentant étrangement attirée par ce jeune homme qui suscitait en elle des réactions démesurées.

Clay semblait tout aussi exaspéré qu'elle lorsqu'il se leva pour lui tendre une main.

— Finissons-en, déclara-t-il.

Elle avait vraiment envie de l'envoyer balader. Car elle voyait bien l'expression contrainte qu'il arborait. Mais, Dieu merci, l'idée d'avoir à évoluer sur une piste de danse dans ses bras n'était pas totalement rédhibitoire. En réalité, son cœur chavira à la simple vue de ce grand corps musclé qui la surplombait. Il était absolument irrésistible dans son costume impeccable et sa chemise au col déboutonné.

— Eh bien, allons-y, acquiesça-t-elle d'un air tout aussi irrité avant de se lever pour l'accompagner vers la piste de danse.

Une dizaine de couples se partageaient cet espace restreint, mais, à sa grande surprise, Annabelle se sentit privilégiée lorsque Clay se mit à la faire valser lentement. Une de ses paumes chaudes épousait les formes de sa taille, et l'autre main s'était emparée de celle de la jeune femme pour la maintenir en l'air, au-dessus de son épaule. L'odeur de son after-shave musqué lui rappela le baiser intense qu'il lui avait administré le jour où il s'était présenté chez sa mère, prêt à faire son show. Tout cela n'avait-il eu lieu que deux jours auparavant ? Pour une raison qu'elle ne s'expliquait pas, Annabelle se sentait plus proche de cet homme que ne pouvait le laisser penser le nombre d'heures qu'ils avaient passées ensemble.

Il mesurait facilement une tête de plus qu'Annabelle, et sa carrure devait représenter le double de celle de la jeune femme. Pourtant grande pour une femme, Annabelle avait l'impression d'être minuscule face à Clay. En proie à des sentiments contradictoires, la jeune femme se sentait à la fois menacée et en sécurité. Quelques centimètres séparaient leurs corps tandis qu'ils évoluaient selon un cercle précis sous la conduite de Clay. Depuis le décès de son père, Annabelle se sentait un peu rouillée en matière de danse ; pour sa part, Clay se mouvait tout en souplesse. Elle se concentra intensément pour éviter de marcher sur les chaussures hors de prix du jeune homme.

— Détendez-vous, murmura-t-il en lui décochant un sourire.

— Je manque d'entraînement, avoua-t-elle tout en le détestant de savoir décrypter sa gestuelle de la sorte.

— Votre petit ami ne vous emmène donc jamais danser ?

Elle perdit le rythme et lui écrasa les orteils – pas tout à fait par hasard.

Il rattrapa les choses immédiatement, mais son sourire se fit plus crispé.

— Il faut croire que non, constata-t-il.

Annabelle pinça les lèvres pour réprimer un sourire, puis se détendit un peu. Clay n'avait aucune idée de l'effet qu'il commençait à lui faire – rien d'étonnant à cela, car il la croyait fiancée. Elle était en sécurité.

Puis elle peina à déglutir. Dans ce cas, pourquoi était-il en train de lui caresser le dos ?

Tâchant d'étouffer le désir qui s'emparait de son corps, Annabelle se dit qu'il se contentait de marquer le tempo en la faisant valser. Toutefois, ce contact n'était pas véritablement déplaisant.

« *You made me love you*, chantait le crooner. *I didn't wanna do it...* »

Clay était d'une beauté renversante, il fallait bien l'admettre. Son visage rassemblait avec superbe des traits masculins qui ne laisseraient probablement pas indifférentes des légions entières de groupies. Et il ne faisait aucun doute que le nom de Castleberry avait dû lui ouvrir quelques portes à Hollywood.

— Vous n'avez jamais songé à devenir comédien ? lança-t-elle.

— Jamais, rétorqua-t-il rapidement d'un air hautain et sincère.

Elle se doutait qu'elle se trouvait sur un terrain glissant, mais elle demanda :

— Et pourquoi pas ?

Il prit son temps pour lui répondre, ce qui lui donna une bonne excuse pour se perdre dans les yeux bleus du jeune homme. Grossière erreur, car elle s'interrogeait à présent sur ce qui se cachait derrière. La considérait-il toujours comme un problème dont il fallait se débarrasser à tout prix ? Ou était-il passé à une indifférence pure et simple ?

— Disons simplement que j'ai vu comment cela avait affecté la vie privée de mon père, et c'est pourquoi je ne veux rien de tout cela.

Elle se demandait si Clay avait une vie privée. Une maîtresse l'attendait-elle à Paris ?

— Vous comprenez donc que je ne tienne pas à ce que ma mère se retrouve sous les feux des projecteurs.

Il plissa légèrement les yeux puis se tourna pour observer leurs parents.

— Ils ont l'air assez décidés, non ?

À quelques pas de là, les futurs mariés échangeaient des regards fervents tout en se mouvant à l'unisson, sans effort apparent.

— Oui, c'est juste, admit-elle dans un soupir. Peut-être devrions-nous leur accorder notre bénédiction et retourner à nos vies respectives.

— Pourquoi ce soudain changement d'avis ? s'enquit-il en immobilisant ses doigts qui caressaient le dos de la jeune femme, la voix empreinte de soupçon.

— Je l'ignore, déclara-t-elle en haussant les épaules. Je me demande si c'est bien à moi de déconseiller à ma mère de se marier.

— Surtout au moment où vous-même allez sauter le pas ? interrogea-t-il d'un ton léger.

Elle ouvrit la bouche, prête à lui avouer la vérité, mais l'intérêt qu'elle décelait dans ses yeux l'effraya. Pourquoi irait-elle se mettre dans une position plus vulnérable en avouant au jeune homme que non seulement elle n'était pas fiancée, mais qu'en plus elle n'était sortie avec aucun homme depuis huit mois, trois semaines et quatre jours ?

Annabelle Garnet Coakley, tu es mûre, il n'a qu'à tendre la main.

— À vrai dire, parvint-elle à prononcer, ma situation est un peu différente de celle de ma mère.

— Ah bon ? s'étonna le jeune homme. Votre fiancé n'est pas un riche vieillard ?

— Non, rétorqua-t-elle en levant les yeux au ciel.

— C'est un collègue ?

Annabelle perdit pied une nouvelle fois. Elle avait déjà dit son compte de pieux mensonges pour le bien commun, mais il y avait quelque chose chez son cavalier qui lui donnait l'impression qu'il la perçait à jour.

— Je préférerais qu'on ne parle pas de ma vie privée.

— Méfiez-vous, déclara-t-il en haussant un sourcil. On pourrait croire que vous cachez quelque chose.

Cet homme avait des antennes, ce n'était pas croyable. Peinant à déglutir, elle riposta :

— Vous avez l'air prêt à penser que je suis capable du pire.

Les secondes s'écoulèrent tandis qu'il la dévisageait, un sourire énigmatique aux lèvres.

— Au contraire, finit-il par dire. Vos taches de rousseur m'empêchent de garder les idées claires.

Interdite, Annabelle perdit pied une nouvelle fois. Soudain, il les fit pivoter dans un mouvement qui pressa son corps contre le sien. Elle inspira une bouffée d'air, abasourdie par le frisson qui la traversa au moment où sa poitrine se pressa contre son torse. De son bras, Clay enlaçait la taille d'Annabelle, la tenant tout contre lui, leurs jambes se mouvant dans une proximité des plus intimes, comme des lames de ciseaux.

Elle ferma les yeux pour apprécier les sensations de leurs corps évoluant en harmonie. Au fond d'elle, une petite voix lui conseillait de résister, de rompre cette étreinte, mais elle se sentait si bien dans les bras de Clay… Et les paroles du jeune homme résonnaient encore dans sa tête. Il la trouvait attirante, c'était un choc. Mais le fait qu'il l'admette de vive voix, voilà qui l'étonnait au plus haut point.

Annabelle n'eut pas le temps de pousser ses réflexions plus loin, car le chanteur concluait sa prestation dans un grand final. Près d'eux, Martin renversait Belle dans une posture théâtrale, et l'assemblée applaudit avec enthousiasme. Quant à Annabelle, elle sentit que Clay la libérait lentement. La jeune femme pensait qu'il serait malvenu de le regarder dans les yeux. Elle craignait qu'il n'y voie une invitation lancinante, le genre d'invitation qui l'empêcherait de s'en tenir à sa résolution d'éviter tous les désagréments d'un rendez-vous amoureux, d'une liaison, ou – comble de l'horreur – d'une relation sérieuse.

Ce n'était pas comme si un homme du genre de Clay Castleberry était capable de s'engager dans une relation sérieuse. Enfin, pas avec elle.

Alarmée de se sentir succomber ainsi aux charmes de son cavalier, elle maintint ses yeux rivés sur leurs parents et remarqua que sa mère claudiquait. Génial – Martin avait voulu se la raconter avec ses mouvements de danse acrobatique et avait réussi à lui fouler la cheville, à lui coincer le dos ou à lui démettre une hanche.

Elle se précipita vers Belle, prête à la mettre hors de danger.

— Maman, tu es blessée ?

— Non, Dieu merci ! Le talon de ma sandale s'est cassé, expliqua Belle en brandissant le bloc de sept centimètres tout en s'esclaffant.

Soulagée, Annabelle lança néanmoins à Martin un regard lourd de reproches.

— Je vais te ramener à la maison, maman.

— Voyons, Annabelle ! s'écria Martin. C'est moi qui vais accompagner votre mère jusque chez elle afin qu'elle change de chaussures. Avec Clay, vous pouvez rester vous amuser – nous serons de retour en un clin d'œil.

Clay chercha le ticket de voiturier au fond de sa poche, l'air hésitant.

La panique s'empara d'Annabelle à la perspective d'un tête-à-tête avec Clay et elle se mit à le fuir du regard. Son visage avait dû trahir sa réaction, car sa mère lui chuchota :

— N'oublie pas tes bonnes manières, ma chérie.

Martin guida Belle à leur table où elle saisit son sac en adressant un sourire gracieux aux curieux, avant de gagner la sortie. Annabelle s'arrêta près de la table, ayant l'impression que la situation commençait à lui échapper.

Dans un sursaut, elle se rendit compte que Clay avait tiré un siège et attendait patiemment qu'elle daigne s'y asseoir. Quand elle leva les yeux, un sourire pincé éclairait son ravissant visage.

— J'imagine que nous n'avons pas d'autre choix que de nous tenir compagnie bon gré mal gré, lança-t-elle nerveusement en s'asseyant.

Il se pencha, rapprocha la chaise de la jeune femme de la table, puis murmura à son oreille :

— Cela pourrait être intéressant.

Chapitre 10

Un dîner en tête à tête avec Clay Castleberry, *intéressant*? Hyper stressant, perturbant et carrément inconfortable peut-être oui, mais pas *intéressant*. Annabelle sirota son champagne et considéra l'homme assis à ses côtés tandis qu'il demandait au serveur d'apporter des amuse-bouche et d'attendre le retour de leurs parents pour servir les entrées. Il n'y avait pas à dire, c'était un homme intriguant. S'ils s'étaient rencontrés dans d'autres circonstances, peut-être auraient-ils…

—Alors? lança-t-il.

Annabelle sursauta – bon sang, voilà qu'il la surprenait encore à rêvasser.

—Alors quoi?

—Alors, qu'est-ce qu'on fait maintenant? Je vois que ça cogite là-dedans. J'imagine que vous avez un plan.

Annabelle rougit de culpabilité. Il n'en finirait pas de se pavaner s'il savait que l'attirance de la jeune femme pour lui la détournait de son objectif principal qui consistait à… à… ah, oui – à empêcher ce mariage.

Elle s'éclaircit la voix et déclara :

— Pouvant difficilement la kidnapper, je ne sais pas vraiment quoi faire d'autre pour ma mère.

— Le temps nous est compté, indiqua-t-il en pesant chacun de ses mots.

Était-ce un tour de son imagination ou le regard de Clay venait de se poser sur son annulaire ?

— Oui, c'est sûr. Plus ils avancent dans les préparatifs, moins nous avons de chances de leur faire changer d'avis.

— Les femmes ont toujours le chic pour transformer une simple cérémonie en une célébration en grande pompe, affirma-t-il en secouant la tête.

— Puis-je souligner le fait que contrairement à votre père, pour ma mère, le mariage n'est pas dénué d'importance, objecta Annabelle en clignant des yeux. Vous ne pouvez pas lui en tenir rigueur.

— J'imagine que vous êtes absorbée par vos propres préparatifs, lança Clay en levant les yeux au ciel.

Annabelle fronça les sourcils, fermement décidée à ne pas se laisser distraire.

— Vous ne pensez pas qu'un couple devrait être entouré de sa famille et de ses proches pour se dire oui ? questionna-t-elle.

— Vu qu'aucun mariage n'est fait pour durer, pourquoi embêter les autres avec ?

Elle était partagée – une partie d'elle était d'accord avec lui, mais elle était aussi légèrement étonnée qu'ils ne pensent ni l'un ni l'autre pouvoir trouver une personne à aimer jusqu'à ce que la mort les sépare. Le cynisme de Clay détonnait, mais n'aurait-elle pas dit exactement la même chose à quiconque l'aurait écoutée ?

— Eh bien, même si maman va au bout de ce mariage, murmura-t-elle, je serai heureuse qu'elle ait au moins souhaité que je participe à la cérémonie.

* * *

Clay resserra les doigts autour de son verre lorsque la pique involontaire l'atteignit. À l'inverse de la mère d'Annabelle, son père s'était donné du mal pour empêcher Clay de découvrir son projet d'union. Il préférait penser que Martin voulait simplement se marier en cachette plutôt que d'exclure à dessein son fils de cette journée qui avait son importance dans sa vie. Il engloutit ses dernières gouttes de champagne. Leur relation ne pouvait s'être détériorée à ce point.

Il fut contrarié à l'idée de préférer poursuivre certains fantasmes avec la ravissante et fiancée Annabelle, plutôt que de discuter des défauts de la famille Castleberry. Il ne pouvait rien y changer – Annabelle était prise et leurs parents avaient perdu la boule.

— Cela ne vous ennuie pas d'être témoin d'une union vouée à l'échec ? s'enquit-il.

— Si, avoua-t-elle en passant sa langue sur ses merveilleuses lèvres. Mais, quelles que soient les circonstances, je ne peux tout bonnement pas tourner le dos à ma mère.

Elle semblait relativement sincère. Mais ne jouait-elle pas la comédie en prétendant ne pas avoir d'autre choix alors qu'en réalité c'était elle qui orchestrait cette mascarade ? Son téléphone se mit à vibrer dans sa poche intérieure. Il sortit l'appareil, espérant presque que ce serait un appel de Paris, une affaire assez urgente pour qu'il doive y retourner sur-le-champ.

Au lieu de cela, c'était son père qui lui expliqua qu'il avait bien ramené Belle chez elle, mais que sa voiture refusait de démarrer. Ils avaient décidé de commander un repas chinois et de regarder un film chez Martin. Mais pourquoi Clay et Annabelle ne resteraient-ils pas sur place pour s'offrir un bon dîner ? Ils se retrouveraient plus tard, quand Clay raccompagnerait Annabelle. Le jeune homme ouvrit la bouche pour décliner la proposition, s'apprêtant à dire qu'ils allaient rentrer aussitôt, mais il s'arrêta quand il posa les yeux sur Annabelle, les lèvres entrouvertes, l'air interrogateur. Une vague de désir incontrôlable parcourut son corps.

D'un autre côté, quand aurait-il une autre chance de passer du temps avec elle en tête à tête et de découvrir un vilain secret qui pourrait lui faire oublier l'irrésistible attirance qu'il éprouvait pour elle dès qu'elle posait sur lui ses yeux aux reflets d'or ?

— C'est d'accord, papa. À plus tard, lança-t-il.

Il raccrocha lentement, sans quitter des yeux sa compagne accidentelle pour la soirée. Avait-elle ressenti les mêmes émotions que lui quand il l'avait attirée à lui sur la piste de danse? *Non, sûrement pas*, se dit-il. Si l'éclat qu'il avait perçu dans les yeux d'Annabelle avait été du désir, il était certainement destiné à son fiancé, ou à l'idée de mettre la main sur le joli petit magot de son père.

Clay annonça la nouvelle, impatient de voir sa réaction. Elle semblait être à court d'excuses pour refuser l'invitation, et son acquiescement silencieux survint au moment précis où le serveur apportait des brochettes de jambon italien et de melon cantaloup. En s'excusant, Clay annula les commandes de Martin et Belle, puis demanda une autre bouteille de champagne, autant pour apaiser le serveur que pour délier la langue de la jeune femme – c'était du moins l'effet recherché.

Elle mangea avec délicatesse, se servant en petites portions. Il se sentit bêtement heureux quand elle ébaucha un sourire et hocha la tête en signe d'approbation.

— C'est délicieux, déclara-t-elle en tapotant les commissures de ses lèvres. Vous êtes un danseur hors pair.

Surpris, il répliqua spontanément:

— Cela aide d'avoir une bonne partenaire.

Elle se raidit soudain.

— Enfin, je veux dire... une partenaire de danse, précisa-t-il.

— Avez-vous jamais été marié ? s'enquit-elle en haussant un sourcil.

— Non, riposta-t-il dans un ricanement nerveux.

— Même pas fiancé ? demanda-t-elle d'un air dubitatif.

— Non. Je n'en ai eu ni le temps ni l'envie.

Le serveur réapparut avec le champagne qu'il versa dans leurs flûtes.

— Hum. Alors parlez-moi de votre travail, lança-t-elle.

Bon sang, c'était lui qui était censé poser les questions.

— Que voulez-vous savoir ?

— Décrivez-moi votre journée type, dit-elle en haussant les épaules.

Il n'avait décidément aucune envie de lui dévoiler tous les détails de sa vie, privée ou pas.

— Il n'y a pas vraiment de journée type, mais je passe le plus clair de mon temps à évaluer des start-up et leurs produits. Ensuite, je les mets en relation avec un investisseur ou un fonds d'investissement.

— Vous êtes une sorte d'entremetteur financier ?

— On peut dire ça comme ça, j'imagine, acquiesça Clay en fronçant les sourcils.

— Et vous arrive-t-il d'investir vous-même dans ces entreprises ?

Était-elle en train de chercher à estimer sa fortune ?

— Cela m'arrive, répondit-il prudemment. Mais ma valeur ajoutée vient plutôt de mes contacts stratégiques et de mon talent pour trouver les bonnes alliances.

Elle fit glisser un petit morceau de melon dans sa bouche. Il ignorait que le simple fait de mâcher pouvait s'avérer aussi provocateur.

—Alors, reprit-elle en penchant la tête sur le côté. D'une certaine façon, vous êtes capable de dire si telle ou telle personne est faite pour telle ou telle autre.

— Uniquement d'un point de vue financier, objecta-t-il.

Elle avala une autre rasade de champagne.

—Mais un mariage, n'est-ce pas aussi une sorte d'arrangement financier ?

Sa chemise avait beau être entrouverte, il sentit une vague de chaleur gagner son cou.

—Je n'y avais jamais pensé en ces termes, avoua-t-il.

—Si l'on considère les contrats, les vœux, les lois régissant la communauté des biens, expliqua-t-elle dans un sourire. Sans parler des pots-de-vin.

—J'imagine qu'il existe quelques similitudes, concéda Clay en se repositionnant sur son siège, se demandant comment elle avait réussi à tourner la conversation à son avantage.

—Donc, d'une certaine façon, vous êtes vraiment capable de dire si telle ou telle personne est faite pour telle ou telle autre, reprit-elle.

—Je ne crois pas qu'on…

—Ou du moins si telle personne n'est pas faite pour telle autre, non ? l'interrompit-elle.

Clay déglutit péniblement. Les yeux de la jeune femme brillaient, son teint était lumineux. Parlait-elle de ses parents ou de quelqu'un d'autre ? Annabelle Coakley avait réussi à passer maître dans l'art épineux de chambouler les idées de Clay en un temps record. Ils étaient encore moins faits l'un pour l'autre que ne l'étaient leurs parents... n'est-ce pas ?

Par chance, les entrées arrivèrent, ce qui mit un terme à l'interrogatoire. Clay tenta de se détendre, mais il fut agacé de voir que le serveur s'attardait plus que nécessaire auprès d'Annabelle, lui proposant toutes sortes d'épices, de condiments et de services tous plus inutiles les uns que les autres. Cet homme n'avait rien d'extraordinaire et pourtant il semblait ne pouvoir détacher ses yeux du décolleté d'Annabelle. Clay se racla bruyamment la gorge et adressa un froncement de sourcils au jeune homme, qui prit la poudre d'escampette. *Sale dragueur.*

— Mmm, murmura Annabelle après avoir goûté la dorade. C'est succulent.

Il ferma les yeux, réprimant l'envie de lui demander de garder pour elle ses exclamations de plaisir. Au lieu de cela, il lui demanda :

— Et quelle est votre journée type de travail ?

Elle fit descendre sa bouchée d'une rasade, puis haussa ses frêles épaules.

— J'ai des rendez-vous avec mes clients le matin, l'après-midi je suis au tribunal, et je fais mes recherches le soir.

Planning chargé, si elle disait vrai.

— J'espère que vous ne travaillez pas le week-end quand même.

Elle secoua la tête, délogeant ainsi une mèche de cheveux bruns qui tomba devant son oreille droite.

— En général, je prépare mes dossiers le week-end.

— Voilà qui ne vous laisse pas beaucoup de temps pour retrouver votre fiancé, fit-il remarquer.

Devinant son hésitation, il comprit qu'il avait abordé un sujet sensible. Cette femme cachait bel et bien quelque chose.

— Votre travail vous oblige-t-il à voyager beaucoup ? demanda-t-elle.

Il fit mine de ne pas remarquer ce changement de sujet.

— Je suis maître de mon emploi du temps selon les projets que j'ai choisis. Cette année, j'ai beaucoup voyagé, mais c'était plutôt par choix.

Pour éviter son père, reconnut-il en silence.

— Pour éviter votre père, peut-être ? lança Annabelle.

— Qu'est-ce qui vous fait dire ça ? demanda Clay en fronçant les sourcils.

— Parce que cela saute aux yeux que vous n'êtes pas très proches, tous les deux.

— Nous sommes différents, admit-il en haussant les épaules.

— Ma mère et moi sommes différentes, mais cela ne nous empêche pas d'être proches.

Il ne devait aucune explication à cette fille qu'il connaissait à peine. Surtout qu'il ne savait pas où elle voulait vraiment en venir. Toutefois, il se sentit contraint de préciser :

— Mon père n'a pas été très présent quand j'étais enfant.

— Et maintenant que vous avez grandi, c'est vous qui n'êtes pas très présent.

— Ne me jugez pas, rétorqua Clay en se mordillant l'intérieur de la joue.

— Je ne vous juge pas, assura-t-elle en levant une main. Je ne fais que commenter la situation à la lumière de mon expérience personnelle. J'ai aussi quelque peu délaissé ma mère, déménagé à des centaines de kilomètres. Vous savez, on ne peut s'en prendre qu'à nous-mêmes de les voir tomber dans les bras de personnes qu'on n'apprécie pas forcément.

— Mais nous avons nos propres vies à vivre, objecta Clay, refusant d'endosser la moindre responsabilité quant au comportement stupide de son père.

— Êtes-vous heureux ? demanda-t-elle en s'appuyant sur les coudes.

En voyant l'éclat de ses yeux, Clay se rendit compte qu'elle ne tenait pas très bien l'alcool. Et un bon champagne pouvait avoir un effet fulgurant sur une personne à jeun aussi mince qu'elle. Sa langue s'était déliée, certes, mais il se retrouvait pris à son propre piège quand elle lui posait ce genre de questions existentielles.

— Je… euh… Oui, je suis heureux.

— Vous n'en avez pas l'air.

— Je vous garantis que si, rétorqua Clay en fronçant les sourcils, exaspéré.

— Moi aussi, je suis heureuse, déclara-t-elle calmement dans un froncement de sourcils similaire à celui de Clay, comme si elle avait des doutes.

Elle fit un geste pour reprendre du champagne, mais elle reposa le verre et le repoussa. Hypnotisé par les émotions qui parcouraient le visage de la jeune femme, Clay la regardait secouer la tête, se redresser et se concentrer sur son assiette. Il était évident qu'elle venait de déployer une sorte de bouclier autour d'elle.

Les notes de musique et le bourdonnement des conversations empêchèrent le silence de s'installer tout à fait entre eux, mais au bout de quelques minutes la voix d'Annabelle manqua à Clay. Il tenta de l'entraîner dans une discussion, mais ses réponses se limitèrent à de vagues monosyllabes. Perturbé par l'humeur changeante de la jeune femme, il s'absorba dans ses propres pensées, qui malheureusement semblaient toutes tourner autour de sa ravissante compagne de table. Il mourait d'envie de danser une nouvelle fois avec elle, ce qui lui donnerait une excuse pour la serrer contre lui, mais, en toute franchise, la jeune femme l'effrayait. Si elle parvenait à l'obséder de la sorte en l'espace de quelques jours alors qu'il était clairement sur la défensive, que surviendrait-il s'il laissait libre cours à son désir ? D'ailleurs, il n'appréciait pas le genre de pensées qu'elle suscitait chez lui.

Si je suis heureux ? Bien sûr que je suis heureux, songea-t-il avec hauteur.

Clay se pressa de manger, mais Annabelle repoussa son assiette encore plus vite que lui et se tourna sur sa chaise pour admirer le chanteur sur scène, battant la mesure du bout des doigts sur la table. Il mémorisa ce profil détourné de lui, se sentant exclu, mais plus curieux qu'il ne l'avait été lors de son dernier rendez-vous avec une femme qui lui avait passé de la pommade pendant toute la soirée, piaillant à tel point qu'il avait eu envie de se fourrer des bouchons dans les oreilles pour ne plus l'entendre.

Mais Annabelle… Cette femme-là le fascinait.

Dérouté par la fixation qu'il faisait sur elle, il interpella le serveur pour lui demander la note. Il régla le dîner malgré les protestations d'Annabelle et la guida jusqu'à sa voiture quand le voiturier les eut menés à leur place.

— Merci pour ce dîner, lança-t-elle en attachant sa ceinture de sécurité.

— Mais de rien, répliqua-t-il en sortant la voiture du parking. Vous voilà bien silencieuse tout à coup.

Annabelle se tourna pour regarder par la fenêtre.

— Il m'arrive parfois d'être trop bavarde, admit-elle.

Clay ébaucha une moue. Craignait-elle d'avoir presque révélé quelque chose de dangereux ? Il espérait qu'Henri lui fournirait rapidement de quoi confirmer ou infirmer ses soupçons selon lesquels Annabelle Coakley tramait quelque chose.

Sur le chemin du retour, ils restèrent relativement silencieux, même si l'intérieur de la voiture était empli de son… de son odeur, de son aura. Clay constata qu'il se penchait vers elle, tendant l'oreille pour percevoir le moindre de ses petits soupirs, le soulèvement subreptice de sa poitrine. Pire, la fine bretelle de son soutien-gorge avait glissé de quelques centimètres sur son épaule – un motif qu'il reconnut. Savoir qu'elle portait ces sous-vêtements à imprimé léopard le fit brûler de désir.

Par quelques gestes, Clay trahit son impatience. Il augmenta le volume de la radio, espérant ainsi faire baisser l'intensité de sa libido. Dans la pénombre, il savait que les hommes avaient tendance à oublier toutes les raisons pour lesquelles ils devraient se méfier des femmes, cet environnement leur évoquant plutôt des scènes d'un érotisme brûlant. Quand ils atteignirent le quartier où résidaient leurs parents, Clay était dans un état d'agitation avancé qu'il n'avait pas connu depuis son adolescence, à l'époque où le sexe était quelque chose de nouveau et d'excitant pour lui, avant qu'il découvre le bagage émotionnel intimement lié à toute relation avec une femme.

— Je vous dépose chez Belle ? s'enquit Clay.

— Allez jusque chez votre père. Je vais récupérer ma mère et la ramener à la maison, déclara-t-elle, comme si elle parlait d'une enfant qu'il fallait éloigner du danger.

Il devait bien lui reconnaître cela : elle se comportait bel et bien comme si elle était opposée à cette union. C'était peut-être la plus jolie arnaqueuse qu'il ait jamais rencontrée.

Quand ils entrèrent dans la maison de son père, Martin leur fit un signe de la main depuis le coin où il était installé. Il regardait la télévision seul, en fumant une pipe.

— Belle était fatiguée et elle a préféré rentrer tôt. Comment s'est passé votre dîner ?

Une vraie torture.

— Bien, répondit Clay dans un sourire pincé et forcé.

— Je peux vous servir quelque chose à boire, Annabelle ?

— J'aimerais parler avec maman avant qu'elle aille se coucher, précisa-t-elle après avoir décliné l'offre.

— Je vais vous conduire en voiture, proposa Clay.

— Merci, je vais simplement emprunter le chemin du jardin. Bonne nuit !

Clay la regarda marcher vers la porte, le regard rivé sur ses jambes, et dut admettre qu'il n'avait aucune envie que la soirée se termine.

— Je vous accompagne, déclara-t-il en sortant avec elle, ignorant ses protestations.

Il récupéra une lampe-torche dans sa voiture, puis chemina aux côtés d'Annabelle dans l'obscurité tandis qu'elle se frayait un chemin sur le côté de la maison, jusqu'à trouver un passage inégal menant à la parcelle boisée qui séparait les propriétés de leurs parents.

— Vous avez l'air de bien connaître les environs, fit-il rcmarquer.

— J'avais l'habitude de sortir des pierres à sel pour les cerfs à l'endroit où votre père a creusé sa piscine, décocha-t-elle sur un ton sec qui n'échappa pas au jeune homme.

Il écarta quelques branches basses, sentant la moiteur du mois de juin pénétrer tous les pores de sa peau. Criquets et cigales se turent, puis reprirent leur chant par vagues en écho au crissement de leurs pas qui résonnaient dans la nuit. Clay prit brutalement conscience du fait que la plupart des femmes qu'il connaissait n'auraient voulu pour rien au monde se retrouver dans les bois vêtues d'une robe de soirée et de talons. Annabelle semblait ne pas s'en soucier, elle. Cette femme avait du potentiel, il l'admettait volontiers.

« Mais aussi un fiancé », lui souffla sa conscience.

* * *

Annabelle n'était que trop consciente des mouvements de Clay dans les bois, juste à côté d'elle, même si elle ne le voyait pas. En réalité, sa vision étant réduite par la force des choses, ses autres sens s'en trouvèrent aiguisés. Elle percevait l'odeur de son savon et de son eau de Cologne. Elle entendait son grand corps faire bruisser les feuillages autour d'elle. Le bruit de ses pas, sa respiration calme, rien ne lui échappait. Ses nerfs faisaient une véritable overdose de Clayton Castleberry.

Cet homme était vraiment… trop. Trop séduisant, trop intelligent, trop ombrageux, trop affolant. En toute franchise, elle avait hâte de se ressourcer dans la maison de sa mère qui lui procurait un certain réconfort. Apercevant l'éclairage du jardin droit devant, elle accéléra le pas, puis marcha dans un trou, ce qui la fit tomber à la renverse.

Et pas qu'un peu. Un « oups » manquant de dignité lui échappa juste avant qu'elle ait le souffle coupé par la chute.

À peine tenta-t-elle de se ressaisir que des doigts puissants s'emparèrent de ses bras pour l'aider à s'asseoir.

— Est-ce que ça va ? demanda Clay d'une voix empreinte d'inquiétude.

La lampe-torche qu'il avait abandonnée était au sol, projetant un rayon lumineux fixe sur les jambes de la jeune femme.

— Je crois que ça m'a coupé le souffle, dit-elle d'une voix rauque, mortifiée.

— Vous pouvez vous relever ?

Elle acquiesça, puis se rendit compte qu'il ne la distinguait pas bien dans le noir, ce qui était une bonne chose, car elle sentait de l'humidité dans son dos – sans doute sa robe était-elle désormais immettable.

— Oui, balbutia-t-elle.

Il la remit lentement sur pieds, la soulevant avec aisance. Lorsqu'elle prit conscience du ridicule de la situation, elle ne put réprimer un fou rire. Dans la pénombre, ce bruit semblait étrange, même aux oreilles de la jeune femme. Mais, en de telles circonstances, rire était ce qui lui restait de mieux à faire – cela valait mieux que de pleurer.

Cette journée allait-elle enfin se terminer ?

À son plus grand soulagement, elle entendit le gloussement de Clay flotter dans les airs pour se mêler à ses éclats de rire, ce qui alimenta de plus belle son hilarité, ses forces quittant irrémédiablement ses bras et ses jambes. Elle se pencha vers lui tout en époussetant sa robe, frottant les courbes de ses hanches.

— Nos parents ont certainement parcouru ce sentier des milliers de fois sans encombre, et moi, j'ai failli m'estropier.

Soudain, prenant conscience de la proximité de Clay, elle s'éclaircit la voix et tenta de tenir debout sans son aide. Il se déplaça et son visage fut subitement éclaboussé du clair de lune transperçant le feuillage des arbres qui les surplombaient. Ses yeux sombres étaient légèrement plissés, pétillant d'humour – ce qui lui conférait un air très différent. Une belle allure, même. Elle émit un petit rire.

— Cette journée n'aura pas été une franche réussite, lança-t-elle.

Le silence fut la seule réponse de Clay, ce qui rendit la jeune femme encore plus nerveuse, d'autant qu'il semblait avoir du mal à lâcher prise. *Lâcher sa prise sur elle.* Elle déglutit, tâchant d'identifier les sensations qui flottaient dans l'air qui les séparait. Du désir ? De la curiosité ? De la solitude ?

— Peut-être pouvons-nous essayer de sauver ce qui en reste, murmura-t-il avant d'éclipser la lune de son corps.

Quand il posa ses lèvres sur les siennes, elle était prête, prête à succomber à cette ardeur inexplicable qui la gagnait dès qu'elle se trouvait en présence du jeune homme, prête à surmonter cette redoutable attirance pour plonger dans une délicieuse indifférence. La bouche de Clay embrassait fermement la sienne, comme s'il voulait, lui aussi, éteindre ce feu mystérieux qui brûlait entre eux. Au début, il avait gardé ses distances, mais à mesure que sa langue chaude et douce cherchait celle de la jeune femme, ses mains se plaquèrent contre son dos pour la serrer contre son corps.

Elle enfonça ses doigts dans l'épaisseur de sa chevelure, en passant sur sa nuque. Il gémit de désir tout en l'embrassant, son qui surpassait toute la symphonie des bruits nocturnes qui les entouraient, mettant tous les sens de la jeune fille en alerte. Il avait le goût du champagne, l'odeur du musc chaud, et il l'étreignait avec la puissance maîtrisée émanant de son corps svelte. Ils partirent à la découverte l'un de l'autre dans un baiser fougueux, cherchant à se fondre l'un dans l'autre – ou à se libérer l'un de l'autre.

Les secondes se volatilisèrent, puis les minutes et, même si elle commençait à manquer d'oxygène, Annabelle n'avait aucune envie de mettre un terme à ce baiser langoureux. Mais quand la main de Clay glissa le long de ses hanches, elle revint brutalement à la réalité – c'était de la folie pure, rien de bon n'en sortirait.

Elle se libéra de son étreinte, cherchant à reprendre son souffle, et croisa les bras sur sa poitrine. Où donc avait-elle la tête ? Se retrouver dans les buissons au beau milieu de la nuit à l'embrasser au lieu de faire tout ce qui était en son pouvoir pour empêcher le mariage malheureux de sa mère… Annabelle reprit ses esprits – est-ce que c'était toute la famille Coakley qui perdait la tête ?

— Je ferais mieux de rentrer, annonça-t-elle d'une voix qui résonna fortement à ses oreilles.

Après quelques secondes d'hésitation, il récupéra la lampe-torche et fit un geste invitant la jeune femme à le précéder. Elle aurait voulu voir son visage, mais elle ne pouvait que deviner de par sa gestuelle que ce soudain rapprochement n'avait pas été si renversant que cela pour lui. Il éclaira le chemin devant ses pieds à mesure qu'elle marchait, et même s'il maintenait une distance respectable entre eux quand ils entrèrent dans le jardin de sa mère, les doigts de Clay effleurèrent le dos d'Annabelle à deux reprises. Le frisson qui la parcourut alors lui rappela leur baiser passionné. Luttant contre l'envie de se presser au risque de tomber de nouveau, Annabelle avança précautionneusement le long du chemin de pierres qu'elle avait aménagé avec son père quand elle avait quatorze ans.

Lorsque le détecteur de mouvements activa une lumière crue sur la terrasse, Clay éteignit la lampe-torche. Le cœur battant, luttant contre ses désirs, Annabelle fouilla dans sa pochette pour y trouver les clés de la maison, souhaitant et redoutant tout à la fois cette conversation sérieuse qu'elle devait avoir avec sa mère au sujet de leur inconséquence.

Euh… enfin l'inconséquence de leurs parents, bien sûr.

— Merci de m'avoir raccompagnée, dit-elle dans la précipitation, espérant que le vieil adage « loin des yeux, loin du cœur » s'appliquerait à Clay.

Il détourna les yeux et se gratta la tempe.

— Annabelle, à propos de ce qui s'est passé…

— Inutile de s'excuser, l'interrompit-elle.

— Je n'avais pas l'intention de m'excuser, corrigea-t-il en plissant le front.

Déstabilisée, Annabelle posa une main sur la poignée de la porte.

— Tout comme vous ne vous êtes jamais excusé pour la première fois ?

— Non, bredouilla-t-il. Enfin, je veux dire… si !

S'imaginant que la poignée pouvait être la tête de Clay, Annabelle la tordit sans ménagement et ouvrit la porte. Comment avait-elle pu laisser cet homme l'embrasser ?

— Bonne nuit, siffla-t-elle entre ses dents.

— Je ne vois pas en quoi elle sera bonne ! pesta-t-il.

— Grâce à ça ! s'exclama Annabelle en rentrant et claquant la porte au nez de ce joli cœur au regard furieux. Bien fait ! articula-t-elle face à la porte fermée, très tentée de joindre le geste à la parole.

Cet homme éveillait les pires de ses instincts !

— Que s'est-il passé ?

Annabelle fit volte-face et présenta une mine penaude à sa mère, qui était assise au bar de la cuisine en robe de chambre sous les lueurs tamisées d'une veilleuse, un mug entre les mains, les sourcils en accents circonflexes.

— Je... euh... Clay me raccompagnait à la porte.

— Vous vous êtes disputés ? s'enquit sa mère après avoir siroté une gorgée de sa boisson.

Annabelle esquissa un sourire et s'avança vers le comptoir.

— Rien de grave...

— Qu'est-ce qui a bien pu arriver à ta robe ? s'étonna sa mère en plissant les yeux.

— Je suis tombée sur le sentier entre la maison des Castleberry et ici.

Belle se leva sur-le-champ, dans un élan d'alerte maternelle.

— T'es-tu fait mal ?

— Non, la rassura rapidement Annabelle en se penchant pour dénouer ses sandales argentées. J'ai simplement été humiliée devant monsieur « perfection ».

Dans tous les sens du terme.

— Oh ! s'exclama sa mère en contournant le comptoir, un sourire aux lèvres. Alors c'est pour cela que tu étais tant sur la défensive. Est-ce que vous vous êtes tous deux comportés de façon suffisamment courtoise pour profiter d'un bon dîner ?

Annabelle hocha la tête, désirant changer de sujet au plus vite.

— Martin m'a dit que tu voulais te coucher tôt… Tu ne te sens pas bien ?

— Je suis épuisée par toute cette excitation, j'imagine. Mais je n'ai pas réussi à m'endormir, avoua Belle en levant sa tasse. Je me suis dit qu'un petit lait chaud ne pourrait pas me faire de mal. Il en reste encore dans la casserole, en veux-tu ?

Annabelle ébaucha un sourire, puis ouvrit un placard de la cuisine. Ses doigts passèrent sur la tasse à café préférée de son père, un mug noir sur lequel était inscrit « L'amour, c'est l'éternité d'une vie à deux ». Considérant cette coïncidence comme un signe, elle sortit le mug et le tendit à Belle pour qu'elle la serve. Sa mère eut un instant d'hésitation quand elle vit la tasse, mais elle y versa le laid chaud sans rien dire.

— Vanille ?

Annabelle acquiesça, rassurée de rentrer dans ce rituel familier où sa mère ajoutait quelques gouttes de vanille dans le mug.

— Comme au bon vieux temps, murmura la jeune femme.

Un sourire tendre traversa le visage de Belle, puis elle décocha un clin d'œil à sa fille.

— Sauf que maintenant j'utilise du lait écrémé. Ton père le voulait toujours entier.

Annabelle retint ses larmes en avalant la première gorgée de son lait aromatisé.

— Pourtant, ses petites manies n'ont jamais eu l'air de t'embêter.

— Ton père se sentait aimé lorsqu'on prenait soin de lui.

— Tu prenais si bien soin de nous, maman…

Belle tendit la main pour caresser les cheveux de sa fille qui s'étaient échappés de sa pince lorsqu'elle était tombée.

— Je tenais à ce que vous soyez heureux tous les deux.

Qu'ils soient heureux tous les deux ? Il n'avait jamais traversé l'esprit d'Annabelle que sa mère n'avait pas savouré chaque instant de sa vie de femme au foyer. Tâchant d'amener la conversation vers le sujet qui occupait toutes ses pensées, elle déclara :

— En ce moment, ce que j'aimerais t'entendre dire plus que tout au monde, c'est que tu vas réfléchir à cette histoire de mariage avec Melvin Castleberry.

— Il s'appelle Martin, ma chérie, et nous sommes très amoureux.

— Maman, comment peux-tu tomber amoureuse de quelqu'un en si peu de temps ?

— Je ne pourrais pas l'expliquer, répondit Belle avec indulgence, mais je t'assure que c'était la même chose avec ton père.

Annabelle se mordit la lèvre inférieure. C'était un argument de poids, vu que ses parents avaient vécu un mariage heureux pendant plus de trente ans.

— Les temps ont changé, fit remarquer Annabelle.

— Pas tant que ça, ma chérie ! répliqua sa mère en riant. Au fil du temps, on tombe toujours amoureux de la même façon. Tu verras… Un jour, dans ta vie, tout semble parfaitement normal et ordinaire, et puis tu rencontres quelqu'un qui te fait te sentir tellement plus vivante ! assura-t-elle avec un geste animé.

Belle poussa un soupir et afficha un sourire radieux.

Annabelle secoua la tête, surtout pour effacer de son esprit l'image du visage de Clay qui s'y était présenté sans invitation.

— Tu parles comme Dom. Je suis désolée, mais je vois suffisamment de mariages brisés chaque jour pour avoir un point de vue légèrement différent.

Sa mère sirota son lait et leva le petit doigt.

— Je sais, c'est pourquoi j'ai fait preuve de patience face à tes manigances.

— Mes manigances ? s'étonna Annabelle, le souffle court.

— Parfaitement. Vos manigances à Clay et toi. Toutes vos histoires de contrat de mariage et tout ça.

— Maman, Clay et moi sommes les seules personnes à avoir les pieds sur terre ici ! s'exclama Annabelle en posant son mug.

— Tu veux parler de l'homme à qui tu viens de claquer la porte au nez ? demanda Belle en haussant un sourcil.

— Avec lui, c'est compliqué, expliqua Annabelle en fronçant les sourcils.

— Un peu comme avec toi, parfois. Mais..., commença sa mère avant de lever une main. Je sais que tu fais tout cela parce que tu tiens à moi.

— Ça, c'est bien vrai. Et je ne pense pas que je vais changer d'avis à propos de ce mariage, maman.

Belle lui décocha un petit sourire.

— Et je pense que moi non plus, je ne vais pas changer d'avis à propos de ce mariage.

Sa mère fit un signe de la tête vers la porte de la cuisine.

— Et si nous poursuivions cette petite conversation autour de nos laits chauds dans ma chambre ? Comme au bon vieux temps, ajouta-t-elle en esquissant un sourire.

Gagnée par un élan affectueux, la jeune femme posa sa tasse et enlaça sa mère.

— Comme au bon vieux temps. Laisse-moi juste enlever cette robe trempée. Je reviens tout de suite.

— Oh, au fait, ma chérie, Martin et moi allons faire une randonnée sur le mont Paxton demain, et y pique-niquer.

Une randonnée ? Sa mère n'avait jamais accompagné Annabelle et son père quand il leur arrivait de faire des randonnées. Elle fronça les sourcils en contemplant son lait – ils le lui avaient pourtant bien proposé, non ?

— Et nous espérions que Clay et toi accepteriez de vous joindre à nous.

Annabelle eut un haut-le-cœur. Une journée entière en compagnie de Clay Castleberry ?

— Mais je pensais que nous passerions plus de temps ensemble, rien que toutes les deux avant le fameux jour J, tu sais.

Autrement, comment allait-elle pouvoir convaincre sa mère que ce mariage avec Martin était une mauvaise idée, vu le peu de jours qui lui restaient ?

— Cela va faire deux mois que Martin et moi sommes ensemble, et nous voulions marquer le coup en organisant un petit pique-nique.

— Je n'ai pas vraiment de chaussures appropriées pour faire de la rando, objecta Annabelle en regardant ses pieds nus.

— Il y a des affaires à toi dans un carton au grenier ; je suis sûre que tu y retrouveras de quoi te chausser pour la balade. Ce sera amusant et cela nous permettra une fois de plus de mieux nous connaître, vu que le dîner est tombé à l'eau. S'il te plaît, ma chérie !

S'il te plaît. Comment Annabelle pouvait-elle refuser cela à sa mère alors que cette dernière avait des yeux de petite fille remplis d'espoir ?

— Pour toi, maman, bien sûr que j'irai, déclara Annabelle en esquissant un sourire.

Elle se rendit dans sa chambre d'un pas feutré et se changea en un clin d'œil, étonnée par l'entrain qui l'avait subitement gagnée. Pourquoi aurait-elle hâte de subir une autre prise de bec avec Clay ? Repoussant cette troublante pensée de son esprit, elle enfila une chemise de nuit, puis parcourut le couloir pour rejoindre la chambre de sa mère. Elle y trouva Belle profondément endormie sur son édredon.

Annabelle ébaucha un sourire, puis recouvrit sa mère d'une couverture. Elle termina son lait à la vanille tiède dans sa propre chambre, assise dans un fauteuil près de la fenêtre. Son regard était sans cesse attiré par une lumière solitaire au dernier étage de la demeure des Castleberry. Clay était-il encore debout ? Si tel était le cas, se réprimanda-t-elle, il ne devait pas être assis dans un fauteuil à penser à elle, à moins qu'il ne réfléchisse à une façon de se débarrasser d'elle.

Elle se mordilla sans ménagement l'intérieur de la joue. Pourquoi donc trouvait-elle cet homme si irritant, si intrigant et si… désirable ? Cela provenait probablement de son énergie. Elle le différenciait de tous les autres hommes qu'elle avait connus. Était-il menaçant ? Oui. Têtu ? Oui. Brillant ? Absolument. Mais, par-dessus tout, il stimulait le corps et l'esprit d'Annabelle de façon incroyable, excessive et indubitable.

« Un jour, tout dans ta vie semble parfaitement normal et ordinaire, et puis tu tombes sur une personne qui te fait te sentir tellement plus vivante ! »

Annabelle fronça les sourcils en se remémorant les paroles de sa mère. Elle n'était pas en train de tomber amoureuse de Clay Castleberry. Elle ne se laisserait jamais aller à cela.

Chapitre 11

Comment était-il possible, se demanda Clay, que cette femme puisse avoir l'air plus charmante dans son short kaki, ses grosses chaussettes et ses sympathiques chaussures de marche que dans le maillot de bain qu'elle avait porté l'autre jour ? Il ne s'était pas montré enthousiaste à l'idée de faire une randonnée avec les Coakley quand son père lui avait soumis ce projet dans la matinée, mais en voyant Annabelle, sa détermination sembla s'effriter.

— Tu pourrais faire un petit sourire, lui dit Martin en lui donnant un coup de coude. Belle et moi espérons que vous allez faire un effort pour vous entendre, les enfants.

Clay se mordilla l'intérieur de la joue, le son de la porte des Coakley qu'Annabelle lui avait claquée au nez résonnant encore dans ses oreilles. Et le souvenir de ce satané baiser l'avait maintenu éveillé, lui faisant parcourir les pages de ses rapports financiers sans rien en retenir, jusqu'au petit matin. Il espérait qu'Henri lui fournirait rapidement la preuve des mauvaises intentions de cette femme. Alors il renverrait

Annabelle Coakley à son Michigan, délestée de toute somme d'argent malhonnêtement gagnée.

— Ne le prends pas mal, papa, mais ce n'est pas mon premier choix en termes de galante compagnie.

Son père fronça les sourcils.

— Mais pour toi, ajouta Clay avec un enthousiasme forcé, je tâcherai d'être gentil.

Le grand sourire de Martin fit chavirer le cœur du jeune homme – depuis quand était-il devenu si facile de le contenter ? Clay médita sur cette révélation jusqu'à ce qu'il soit distrait par le mouvement d'Annabelle qui se penchait pour refaire un de ses lacets. *Comment pourrais-je tirer profit de cette malencontreuse sortie ?* se demanda-t-il.

Une idée lui traversa l'esprit, et il ne put réprimer un sourire malicieux. Alors comme ça, elle voulait qu'il pense qu'elle était contre ce mariage, hein ? Très bien, il allait la pousser à montrer à quel point elle y était opposée.

— Annabelle, appela-t-il en avançant vers elle alors qu'elle se relevait à l'autre bout de l'allée de chez son père.

Le visage de la jeune femme était rose, car elle venait de se pencher, et elle avait relevé ses cheveux en une queue-de-cheval haute. Avec ses taches de rousseur, elle n'avait pas l'air d'avoir plus de dix-sept ans. Clay se sentit subitement vieux.

Et grognon.

— Oui ? l'interrogea-t-elle en posant son regard doré sur lui.

Vu son expression, la jeune femme était aussi peu enthousiaste que lui à la perspective de cette journée.

Clay fit un signe de la tête en direction de la maison.

— Est-ce que vous voudriez bien me donner un coup de main pour le matériel vidéo ?

Elle tourna les yeux vers leurs parents qui chargeaient des provisions, à l'arrière de la voiture de sport de Martin, comme si elle cherchait des témoins, puis se dirigea d'un pas hésitant vers la maison.

Alors qu'il la suivait, il se fit la réflexion qu'elle devait passer beaucoup de temps à la salle de sport pour entretenir une telle silhouette, puis il s'efforça de se concentrer sur autre chose.

— Vous faites beaucoup de randonnée à Detroit ? demanda-t-il tandis qu'il lui tenait la porte.

— En réalité, je n'en ai pas fait depuis la fin de mes études. Mon père et moi avions l'habitude d'aller marcher quand je rentrais pour les vacances scolaires.

Au beau milieu de ce dialogue maladroit, les paroles d'Annabelle le touchèrent – il avait presque oublié qu'ils avaient une chose en commun : ils avaient tous deux perdu un de leurs parents. Désolé, il adoucit sa voix.

— Vous deviez bien vous amuser. Il doit vous manquer.

Elle hésita, puis afficha un sourire triste.

— Énormément, déclara-t-elle en continuant d'avancer.

Il la suivit dans l'entrée et s'arrêta devant une console où se trouvait la sacoche contenant la caméra. Il émit un petit rire pour détendre l'atmosphère.

— Je vous pose la question parce que je me demandais si j'allais être le seul à avoir des courbatures demain – je dois avouer que j'ai parfois du mal à tenir la distance quand je cours avec papa.

— J'ai l'habitude d'aller au travail à pied, et mon bureau est au douzième étage, indiqua-t-elle dans un sourire. Je m'arrange pour faire de l'exercice sans être inscrite à un cours de gym.

Voilà qui expliquait la splendeur de ses jambes. Et elle avait raison – lui préférait parcourir son terrain situé au nord de la ville pour faire de l'exercice, c'était mieux que d'aller à la salle de sport.

— Où est le reste du matériel ? demanda-t-elle en parcourant des yeux l'entrée qui était aussi grande qu'une pièce à part entière.

— Tout est là, répliqua-t-il en s'emparant du petit sac. C'était juste une excuse pour discuter en privé.

Le visage d'Annabelle vira au rouge écrevisse.

— Si vous voulez parler d'hier soir…

— Annabelle, êtes-vous véritablement opposée au mariage ?

Elle cligna des yeux.

Clay remarqua qu'il avait commis là une bévue – cette femme était fiancée après tout.

— Je veux parler de ce mariage-ci, précisa-t-il.

— Vous savez que je suis contre.

Elle remua les doigts, tirant sur une mèche de ses cheveux brillants pour la remettre dans son élastique.

Il étudia les traits de son visage à la recherche d'un indice de son degré de sincérité, mais son attention fut détournée par l'attrait de ses pommettes. Il ajusta la bandoulière de la sacoche de la caméra et lança, tâchant de n'avoir l'air de rien :

— Alors peut-être que nous pourrions allier nos forces aujourd'hui et mettre un terme à ce mariage absurde une bonne fois pour toutes.

Annabelle croisa les bras et considéra Clay l'espace de quelques secondes.

— Je vous écoute.

— Pourquoi pensez-vous que nos parents soient aussi déterminés à se marier ?

L'attitude de la jeune femme changea du tout au tout. Elle se mit à se tortiller et se gratter.

— Je n'en ai aucune idée.

Clay ébaucha un petit sourire.

— Allez, tâchez de deviner, mademoiselle l'avocate.

— Eh bien, commença-t-elle, les yeux rivés sur le bout de ses chaussures de randonnée. Ils sont certainement emportés par cet élan romantique et mielleux des débuts d'histoires d'amour que l'on expérimente souvent lorsqu'on se fiance. Vous voyez ce dont je parle.

— Non, rétorqua-t-il, l'air amusé. Je n'ai jamais été fiancé.

— Eh bien, vous pouvez sûrement au moins imaginer ce que ma mère et votre père doivent ressentir, insista-t-elle en faisant un geste vague dans les airs.

— Ou plutôt ce qu'ils croient ressentir, corrigea-t-il.

Annabelle acquiesça.

— D'après l'expérience que j'ai avec mes clients…

— Et celle de vos propres fiançailles, lui rappela-t-il.

— … la plupart des couples ne voient pas plus loin que la lune de miel. Mais le quotidien les rattrape quand il commence à être question de chaussettes qui traînent et du menu du repas du soir.

N'ayant jamais songé à se marier, il n'avait pas tellement pensé à une quelconque lune de miel ou à des chaussettes qui traînaient. Cherchant à retrouver un terrain où il serait plus à l'aise, il haussa les épaules.

— Donc, aujourd'hui, profitons de la moindre occasion pour rappeler à nos parents que le mariage n'est pas si idyllique qu'on pourrait le penser. Bien sûr, ajouta-t-il amèrement, vous risquez d'être moins convaincante vu que vous-même êtes fiancée.

— Je préférerais qu'on ne parle pas de ces fiançailles, indiqua Annabelle qui pâlit légèrement.

— Pourquoi ? demanda-t-il, immédiatement sur le qui-vive.

— Parce que… je n'en ai pas encore parlé à ma mère.

Intrigué, il pencha la tête sur le côté.

— Et pourquoi cela ?

— Parce que… c'est arrivé comme ça… et je n'ai pas eu envie de… ternir le tableau.

Il y avait quelque chose qui clochait dans cette histoire, il le sentait. En cet instant, Clay aurait aimé plus que tout au monde pouvoir lire dans les pensées de la jeune femme. Une chose était sûre – il était plus convaincu que jamais qu'Annabelle voulait voir sa mère épouser son père. Mais si elle souhaitait prétendre qu'il en était autrement, il allait en tirer profit.

Un froncement vint rider son front lisse – elle se rendait certainement compte qu'elle était comme prise au piège.

— Je vais suivre votre plan, déclara-t-elle avec prudence. Mais je ne veux pas blesser les sentiments de ma mère pour autant.

— Idem, acquiesça-t-il. Si nous faisons équipe, peut-être qu'ils finiront par revenir à la raison.

Une expression suspicieuse traversa le visage d'Annabelle, mais elle haussa les épaules en signe d'acquiescement.

— Ça ne peut pas faire de mal, j'imagine.

La même mèche rebelle s'échappa de sa queue-de-cheval et vint se lover dans son cou. Le soleil dardait ses rayons à travers la vitre de la porte d'entrée et faisait ressortir le modelé délicat du visage d'Annabelle. Quand elle était anxieuse, elle avait une manière de pincer les lèvres qui rehaussait ses fossettes. Cette femme était un paradoxe à elle toute seule. Avec ses yeux clairs, elle avait un air félin, pouvant être d'humeur massacrante un instant et adorable le suivant.

Laquelle préférerait-il ? Cette pensée assaillit Clay brusquement et le fit expirer bruyamment. Il se rendait compte que cette journée allait peut-être lui demander plus qu'une simple endurance physique.

* * *

Annabelle cessa de faire passer le poids de son matériel d'une épaule à l'autre, fronçant les sourcils en direction de Belle et Martin, quelques mètres devant elle sur la piste rocailleuse. Même lestée d'un sac de randonnée, sa mère se mouvait avec l'agilité d'un cabri. Pendant ce temps, Annabelle, elle, avait un caillou dans sa chaussure gauche et avait été piquée par un insecte juste assez haut sur la cuisse pour qu'il lui soit impossible de se gratter en public.

— Besoin d'une pause ?

Au son de la voix amusée de Clay, elle lança un regard par-dessus son épaule et fit la moue. Elle ne savait pas ce qui l'ennuyait le plus – le fait qu'elle peine à suivre sa mère ou que la position de Clay qui fermait la marche sur la piste étroite lui fournisse l'occasion de l'observer sous toutes les coutures sans être vu.

Enfin, en imaginant que ce spectacle l'intéresse, bien sûr.

— Non.

Le mot s'échappa de sa bouche sur un ton plus aigre qu'elle ne l'avait prévu, donc elle se reprit. Après tout, ils étaient censés travailler ensemble sur cette affaire.

— Non, pas besoin de pause, merci.

Elle fit halte et attendit qu'il s'approche.

— Je croyais que nous allions leur parler, lança-t-elle.

Du dos de la main, il essuya quelques gouttes de transpiration qui avaient perlé sur son front.

— Il faut d'abord qu'on les rattrape.

— Si vous n'aviez pas jacassé au téléphone pendant tout le trajet en voiture, l'accusa-t-elle, nous serions déjà plus avancés.

Il haussa un sourcil brun.

— Quoi, vous ne pouvez pas leur parler sans moi ?

Elle posa les poings sur ses hanches, perdant presque l'équilibre du fait de son sac à dos chargé.

— Essayez un peu de parler par-dessus la musique du big band qu'ils écoutaient à l'avant, plus votre conversation téléphonique. Dans de telles conditions, je vous mets au défi de réussir à évoquer l'air de rien le fait que ce mariage est une impasse.

Il avança le pied sur une souche et s'appuya sur son genou, enlevant de la main une trace de boue sur son short bleu marine. Ses jambes étaient tout en muscles et couvertes de poils bruns. À côté de Clay, elle se sentait toute petite. Sa nuque s'échauffa, car elle savait qu'elle avait un look déplorable. L'élastique de sa queue-de-cheval était détendu, une branche d'arbre avait déchiré la manche de son tee-shirt blanc et le paquet de crème hydratante qu'elle s'était étalé sur le nez, certes bien utile, venait compléter une panoplie pas très séduisante.

Même si elle n'avait pas pour but de paraître particulièrement séduisante.

— J'imaginais que votre métier exigeait que vous sachiez vous montrer rusée et persuasive, déclara-t-il, mais l'éclair cynique qui traversa son regard réduisit en miettes tout espoir qu'il s'agisse d'un compliment.

— Pas plus que le vôtre, rétorqua-t-elle sur le même ton.

— Et vous êtes bonne dans ce que vous faites ? demanda-t-il, la surprenant.

— Bonne ?

— Vous parvenez à conclure des accords avantageux pour vos clientes, ruinant ainsi des maris négligents ?

Une étincelle de colère la parcourut, puis la jeune femme s'enflamma complètement.

— Pour votre gouverne, déclara Annabelle en levant le menton, la plupart de mes clients n'ont aucun problème à obtenir la garde des enfants, et je n'ai pas encore géré d'affaire de divorce lié à la négligence du mari, asséna-t-elle d'un ton méprisant. En outre, vous semblez croire que je touche un pourcentage sur ces accords.

— Ce n'est pas le cas ?

D'un coup d'œil, Annabelle remarqua les lunettes de soleil de marque accrochées à l'encolure de son tee-shirt bleu ciel, son sac banane en cuir cousu main, ses chaussures de marche usées mais onéreuses – Clay Castleberry avait toujours vécu dans une certaine aisancc et il osait l'interroger sur ses propres finances ?

Tout son corps tremblait de colère tandis qu'elle examinait cet arrogant éhonté d'un mètre quatre-vingts. Ah, les hommes ! Et sa mère qui voulait en épouser un !

— Mes revenus ne vous regardent pas.

Annabelle avait déjà calmé plusieurs hommes au tribunal en usant de ce ton, mais Clay demeurait aussi immobile que les pins qui l'entouraient, un sourire innocent aux lèvres. En haussant les épaules, il fit rouler ses muscles.

— J'essayais simplement de comprendre pourquoi une avocate volerait des sous-vêtements.

Annabelle chercha aux alentours un objet à lui balancer à la figure, mais elle fut interrompue par la voix de Martin qui venait de plus haut.

— Alors, les lambins, vous êtes prêts pour la pause-déjeuner ?

La jeune femme leva les yeux vers la crête arborée, mais les futurs mariés avaient déjà disparu au cœur d'une formation rocheuse. Annabelle maugréa et frappa rageusement une grosse abeille, puis elle considéra la rampe qui lui faisait face. Lorsqu'elle se précipita vers l'avant, le maudit caillou de sa chaussure lui piqua la plante du pied. Elle glapit et fit une embardée sur le côté.

De puissantes mains la saisirent par le bras et la taille pour l'empêcher de tomber. Elle fit momentanément abstraction de sa douleur, le temps de se rendre compte que c'était Clay qui la soutenait, et elle n'accueillit pas avec joie cette sensation devenue trop familière. C'était plutôt troublant, à vrai dire.

— Je vais finir par croire que vous le faites exprès pour tomber dans mes bras, lui murmura-t-il à l'oreille.

Ses paroles la contrarièrent, mais la voix du jeune homme provoqua un frisson qui remonta le long de la nuque d'Annabelle.

— Je n'ai besoin des bras de personne, peina-t-elle à répondre, décidée à ne pas commettre la même erreur que la veille, même si cela était très tentant.

— Vous vous êtes foulé la cheville ? demanda Clay en la redressant lentement d'une main ferme.

Il avait presque l'air inquiet pour elle tout en l'aidant à s'asseoir sur la souche.

Quand il posa ses mains sur sa cheville, Annabelle eut presque envie de profiter de la situation, mais sa conscience la rappela à l'ordre.

— Ce n'est qu'un caillou dans ma chaussure.

Il fronça les sourcils et tira sur sa grosse chaussette marron retroussée sur sa botte.

— Comment un caillou a-t-il pu entrer là-dedans ?

— Il devait se trouver dans la chaussure avant que je la mette et je ne m'en suis pas rendu compte tout de suite.

À cet instant précis, tout ce qu'elle voyait, c'était qu'en plein soleil, les yeux de Clay prenaient une teinte bleue qui lui faisait penser à une publicité télévisée pour une boisson rafraîchissante. Ou pour des jeans. Ou de la glace.

Clay dénoua ses lacets. Elle l'observa sans réagir tandis qu'il desserrait la bottine afin de libérer son pied. Elle remua ses orteils tout chauds quand il retourna la chaussure pour faire tomber le caillou dans sa main.

— Avez-vous perdu un bouton ?

Annabelle fronça les sourcils, puis tendit la main vers l'objet pour le tenir à hauteur des yeux. Mais quand le petit bouton en étain se trouva au creux de sa main, elle en inspira avidement l'odeur. Les souvenirs l'assaillirent, brouillant sa vision. Des larmes se mirent à couler sans qu'elle ait le temps de contrôler quoi que ce soit.

— Qu'est-ce qui ne va pas ? s'enquit Clay d'une voix inquiète.

Il posa une main sur le genou de la jeune femme.

— Annabelle ? Qu'y a-t-il ?

Elle se mordit la lèvre, espérant ainsi repousser ses larmes, mais elle était encore secouée de sanglots.

— Annabelle…

Elle leva les yeux pour découvrir que le visage de Clay exprimait une crainte sincère.

— Parlez-moi, bon sang, intima-t-il.

Elle renifla bruyamment, puis posa les doigts sur le bouton où était gravé « *US Army* » et tenta de se composer un sourire.

— Il vient d'une veste que portait mon père.

Son vêtement préféré, une veste pare-balles qu'il avait gardée de son service militaire. Elle était d'un vert olive passé, avec de grandes poches déformées qui renfermaient son couteau suisse favori, ses appâts de pêche et un stock de bonbons qu'il aimait partager.

L'image de son père avec ses cheveux gris et ses larges épaules s'imposa dans son esprit de façon aussi claire que s'il avait été à ses côtés. *Que dirais-tu d'aller taquiner la truite à Johns Creek, Anna ?*

Elle ferma le poing sur le bouton et pressa ses doigts contre sa bouche. Comment ce petit objet avait-il pu se retrouver dans sa chaussure et que penser du moment précis où elle le découvrait ? C'était comme si ce bouton était un signe, un rappel de la promesse qu'elle avait faite à son père.

— Vous deviez être très proche de lui, fit remarquer Clay d'une voix étonnamment douce.

Elle acquiesça, incapable de le regarder dans les yeux.

— Nous avions de grandes discussions plusieurs fois par semaine sur une affaire que j'étudiais, des sujets politiques… ou rien de spécial, expliqua-t-elle dans un soupir en relevant la tête. Il m'arrive parfois d'oublier qu'il n'est plus là et de décrocher mon téléphone dans l'espoir de lui parler.

Clay laissa échapper un gémissement de compassion et sortit un mouchoir à monogramme brodé de sa poche arrière.

— Tenez.

Elle constatait avec soulagement qu'il n'était pas en train de lui rire au nez, mais ce sentiment se dissipa rapidement quand elle se souvint de ce que Belle lui avait confié. La mère de Clay était décédée quand il était très jeune.

— Vous souvenez-vous de votre mère ? hasarda-t-elle en s'essuyant les joues, retenant quasiment son souffle, car elle avait conscience d'aborder un sujet très intime.

Les oiseaux dans les arbres devinrent subitement très bruyants.

Clay ramassa une pomme de pin au sol et glissa son pouce le long du cône.

— Oui. Mais j'ai tellement regardé ses photos que je me demande si je ne me souviens pas simplement des poses qu'elle prenait.

Annabelle sentit son cœur se serrer à l'idée du petit garçon aux cheveux bruns qui avait dû idolâtrer sa mère, si belle.

— Quel âge aviez-vous quand elle est morte ?

Il replia son bras et lança la pomme de pin dans la forêt, comme si de rien n'était. L'espace de quelques secondes, elle crut qu'il n'allait pas lui répondre. Puis il posa les yeux sur elle, impassible.

— J'avais neuf ans. Ma mère avait fait plusieurs fausses couches après m'avoir donné naissance, et elle était folle de joie d'avoir enfin pu mener une autre grossesse à terme. Mais il y a eu des complications à l'accouchement et elle en est morte, expliqua Clay.

— Que…, commença Annabelle en déglutissant. Qu'est-il arrivé au bébé ?

— Il est mort-né. C'était une fille.

— Oh, Clay, je suis vraiment désolée ! déclara Annabelle en pinçant les lèvres.

— C'était il y a longtemps, répliqua-t-il en lui lançant un sourire triste.

— Votre père a dû en souffrir terriblement.

Clay acquiesça.

— En toute honnêteté, je ne pense pas qu'il s'en soit vraiment remis, précisa-t-il, la mine assombrie. Ce qui explique pourquoi il cumule les conquêtes depuis lors.

Et pourquoi son fils fait de même, se dit Annabelle. Clay avait dû partager l'attention de son père à un moment où il en avait le plus besoin. La jeune femme sentit poindre en elle du ressentiment envers Martin, ce qui renforçait son idée première selon laquelle cet homme n'était pas assez bien pour qu'elle lui confie sa mère.

— Clay ? résonna la voix de Martin. Tout va bien ?

Quand on parle du loup. Annabelle fit la grimace.

— On arrive ! crièrent-ils à l'unisson avant de se lancer un regard et de sourire bêtement.

Soulagée d'échapper à ce sujet pesant, Annabelle se pencha pour récupérer sa botte et ce faisant, cogna sa tête contre celle de Clay – un vrai choc. Elle gémit et leva la main pour voir si une bosse apparaissait.

— Désolé, dit-il en riant et massant son propre front.

— Voilà qui nous rappelle à quel point nous avons la tête dure, tous les deux, suggéra-t-elle en tâchant de sourire malgré la douleur.

— Je m'occupe de votre chaussure, affirma Clay, attendant son assentiment avant de s'agenouiller de nouveau.

Il avait le souffle court tandis qu'il desserrait les lacets de la chaussure à semelle épaisse et y faisait glisser le pied d'Annabelle aussi délicatement que s'il s'était agi d'une pantoufle de verre. Il posa le pied de la jeune femme sur sa cuisse, genou au sol, et noua les lacets aux reflets dorés avec méthode. Le cœur d'Annabelle battait la chamade tandis qu'elle observait les doigts de Clay, longs et fins, s'affairer à lacer sa chaussure de marche. Cet homme l'étonnait toujours – un instant elle ne l'appréciait guère, et l'instant d'après elle… elle…

— Voilà, déclara-t-il en tapotant sa bottine.

Il croisa son regard et lui adressa un petit sourire qui fit bondir son cœur.

— Waouh, je crois que vous allez avoir un œuf, fit-il remarquer en levant la main vers le front de la jeune femme.

Annabelle demeurait sans voix face à l'électricité que produisait en elle son simple contact. Elle peinait à respirer. Une seconde plus tard, l'expression des yeux de Clay passa de la tristesse aux regrets. *Étrange, de la part de quelqu'un qui se penche pour vous embrasser*, songea-t-elle furtivement.

Chapitre 12

Annabelle ferma les yeux une fraction de seconde avant que Clay pose ses lèvres sur les siennes. Le sel de sa transpiration, la chaleur de sa peau ensoleillée, la douceur de cette surprise, tout se mélangea sur sa langue, et elle se délecta des textures familières de sa bouche. Il avait pris le contrôle lors de leur premier baiser, ils avaient partagé les commandes lors du deuxième, mais, pour ce troisième, c'était elle qui décidait, le serrant plus près d'elle pour que sa langue puisse s'aventurer encore plus loin. Il ne se fit pas prier, ses lèvres fermes et toniques réagissant au moindre mouvement de la jeune femme. Une volonté de possession toute féminine poussa Annabelle à enrouler ses bras autour du cou de Clay. En réaction à son geste, il fit glisser ses mains sur les hanches de la jeune femme, mais il ne serra pas son étreinte, comme si elle était susceptible de se briser.

Le baiser commença à s'animer de lui-même, gagnant en intensité et transmettant des frustrations, désirs et émotions qu'Annabelle n'avait jamais connus. Elle se blottit contre lui sans y penser, ignorant ce qu'elle voulait exactement. Tout ce qu'elle savait, c'est qu'elle en voulait plus. Mais, à travers ce tourbillon de passion, un bruissement parvint aux oreilles de la jeune femme. Elle se raidit et Clay s'écarta, tournant la tête vers le bruit qui provenait du sentier derrière eux.

Elle fit courir son regard sur le promontoire où avaient disparu leurs parents – et s'ils avaient été témoins de ce baiser ? Après avoir inspecté la crête, elle soupira de soulagement, mais rougit en pensant qu'ils n'étaient pas passés loin. Mais où donc avait-elle la tête ? Comment pouvait-elle tenir le rôle de sage conseillère auprès de sa mère si elle n'était pas capable de résister à quelques baisers volés à un homme qu'elle connaissait à peine – et qu'elle appréciait tout juste par ailleurs. L'esprit d'Annabelle était en ébullition ; il fallait qu'elle se reprenne.

Pendant ce temps, en dessous d'eux, un homme mince portant des jumelles autour du cou fit son apparition. Chapeau de safari et guide à la main, il ne faisait aucun doute qu'il s'agissait là d'un ornithologue amateur. Il leur fit un grand signe. L'air embêté, Clay se leva et aida Annabelle à se redresser.

— Il n'y a pas foule sur ce sentier aujourd'hui, fit remarquer l'homme en soulevant un bord de son chapeau quand il arriva à leur hauteur.

— Si on veut, marmonna Clay dans le dos de l'homme.

Annabelle posa une main sur sa bouche pour étouffer un fou rire et s'autorisa à se demander où ce baiser les aurait menés s'il n'y avait pas eu cette interruption fort à propos. Elle frémit en constatant que Clay ne la quittait pas des yeux, sentant qu'il était tout aussi confus qu'elle.

— Annabelle, je...

— Nous ferions mieux d'y aller, l'interrompit-elle, déglutissant avec peine. Nous avons toujours une mission à accomplir.

Il fit la moue et la considéra l'espace de quelques secondes avant de se mettre en marche, son regard s'attardant sur les lèvres de la jeune femme. Puis il hocha simplement la tête et lui fit signe de le précéder sur le sentier.

Elle soupira et lissa machinalement ses vêtements, puis passa devant lui avec autant de dignité que possible. Elle avait honte de s'être montrée si frivole. À chaque pas qu'elle faisait dans le chemin poussiéreux de terre rouge, elle se réprimandait. *Clay Castleberry a essayé de t'acheter, tu te souviens ?*

Cet homme représentait à peu près tout ce qu'elle méprisait généralement : il pensait que tout lui était dû, il était arrogant, se croyait supérieur. *Il estime que ma mère n'est pas assez bien pour épouser son père, mais il me trouve assez à son goût pour batifoler. Et dire qu'il me croit fiancée...*

Tout son univers se réduisait à un bureau étriqué au douzième étage d'un énorme building de Detroit, dans le Michigan. Quelle idée de se mettre à la merci d'un riche globe-trotter. *Il s'est moqué de ton misérable travail de juriste – il ne comprendra jamais la satisfaction que cela te procure, d'aider des femmes à rétablir l'équilibre face à des conjoints oppresseurs.*

Annabelle pressa le pas, enfonçant ses bottes dans le sol sableux, réduisant la distance qui la séparait de leurs parents. Les pas de Clay se faisaient entendre derrière elle, mais elle tenta de conjurer l'image de cet homme volant à son secours. Elle avait été étonnée de la naïveté de sa mère, et pourtant, il y avait tout juste quelques minutes, elle s'était laissée aller à ces douces sensations et à une attirance purement physique, compromettant ainsi son amour-propre.

Se cramponnant à un tronc d'arbre pour garder l'équilibre, elle marcha sur la crête et suivit le mince sentier qui contournait un énorme rocher. Quelques mètres plus bas, une paroi rocheuse naturelle menait sur la gauche à un plateau, une zone peu boisée s'éloignant du sentier, recouverte d'aiguilles de pin et parsemée de tables de pique-nique. Martin et Belle s'y trouvaient enlacés à s'embrasser.

« Anna, promets-moi que tu veilleras sur ta mère s'il m'arrive quelque chose. »

— Coucou, maman ! cria-t-elle, les mains en porte-voix, distrayant ainsi efficacement le couple de seniors. Elle leur adressa un geste enthousiaste et se pressa de rejoindre la table sur laquelle leur déjeuner était déjà entièrement déballé.

* * *

Clay observa Annabelle qui traversait la clairière, irrité de s'être incliné sous son baiser, surtout qu'il ne lui faisait toujours pas confiance. S'il devait tirer Martin de ce pétrin et revenir à ses affaires à Paris, il valait mieux qu'il garde les idées claires. Et cela signifiait qu'il devait revenir à son plan d'allier ses forces à celles d'Annabelle dans le seul et unique but de dissuader leurs parents de se marier.

— Qu'est-ce qui vous a pris tant de temps, ma chérie ? s'enquit Belle en jetant un regard anxieux dans leur direction.

Elle pense certainement que nous nous sommes disputés, songea Clay. *Si seulement elle savait...*

— Tu te souviens de cette veste militaire que papa avait l'habitude de porter ? demanda Annabelle d'une voix enjouée.

Belle s'arrêta et reporta toute son attention sur sa fille.

— Bien entendu.

Annabelle leva le bouton bien en vue.

— Regarde un peu ce que j'ai trouvé dans ma chaussure, lança-t-elle. Comment a-t-il pu se retrouver là ?

Tandis que sa mère s'emparait du bouton, Clay se surprit à observer Annabelle. Tout cet incident était-il un coup monté ? Si c'était le cas, qu'est-ce que ces femmes pouvaient avoir à y gagner ? Au fond de son cœur, il ne voulait pas croire qu'Annabelle se serve des souvenirs de son père pour en faire une sorte de stratagème.

— Il a dû tomber de sa veste et atterrir dans ta chaussure quand j'ai emballé toutes ces affaires, murmura Belle, l'air distant.

— Cet endroit est magnifique, fit brusquement remarquer Annabelle, le nez badigeonné de crème, changeant ainsi de sujet.

Elle leva les bras et se mit à tourner sur elle-même pour embrasser du regard le paysage verdoyant. À l'aide de son téléphone, elle prit plusieurs clichés de cette vue incroyable, quelques-uns de Belle et de Martin, et une photo de Clay à son plus grand dam.

Ce dernier était mal à l'aise. Il n'avait jamais apprécié de se retrouver devant un objectif et il était particulièrement nerveux de penser qu'Annabelle conserverait une photo de lui – c'était un acte qui lui semblait trop familier et intime. Il s'en voulut de déduire tant de choses d'un geste aussi banal. Tout laissait à penser qu'il projetait sur la jeune femme ses propres sentiments mitigés.

Pendant ce temps, Annabelle prit Belle et Martin par les épaules.

— Merci de nous avoir proposé de venir avec vous. Je passe un super moment, ajouta-t-elle en lançant un regard entendu à Clay.

Ce dernier plissa les yeux – cette fille était décidément un vrai caméléon. Suivant le mouvement, il approuva d'un hochement de tête. En réalité, aujourd'hui, il s'amusait bien plus qu'il ne l'avait espéré. *Ce doit être l'air pur*, raisonna-t-il. *Ça revigore.*

— À vrai dire, je pense que vous devriez continuer à fêter vos petits anniversaires même après votre mariage.

Annabelle posa un baiser sur la joue de sa mère puis s'assit à la table.

Clay se mordilla la joue. Où donc cela allait-il les mener ?

— On pourrait bien le faire, déclara Martin en adressant un clin d'œil à Belle, puis se penchant pour attraper un cornichon sur une assiette en carton débordant de crudités.

— Vu le taux d'échec des mariages à répétition, poursuivit Annabelle l'air de rien, il vaut probablement mieux s'y prendre un mois à la fois.

Elle préleva un bâtonnet de céleri de l'assiette et croqua dedans à belles dents, engloutissant son extrémité avec enthousiasme.

Clay réprima un sourire, posa son sac à dos et en tira une bouteille d'eau.

— Elle a raison, ajouta-t-il. Vous avez eu une bonne idée de penser à célébrer chaque mois passé ensemble – il y a tant de couples qui n'arrivent même pas à leur premier anniversaire de mariage.

Surprenant l'échange de regards inquiets entre Martin et Belle, il constata qu'il avait touché une corde sensible et poursuivit :

— C'était une idée à toi, papa ?

Belle ne quittait pas Martin des yeux.

— Oui, répondit-elle pour lui, une pointe de suspicion dans la voix.

— Ah oui, c'est logique, dit Clay à l'adresse d'Annabelle tandis qu'il passait une jambe par-dessus le banc pour s'asseoir auprès de Martin, face à sa complice. Parce que les quatre derniers mariages de papa n'ont jamais atteint un an.

Annabelle émit un gémissement de compassion puis balaya des yeux la table chargée de nourriture.

— Eh bien, je meurs de faim, moi ! déclara-t-elle.

— J'ai le ventre qui gargouille depuis au moins trois kilomètres, renchérit Clay.

Il déballa un sandwich posé sur l'assiette qui lui faisait face et en souleva le pain croustillant pour admirer la garniture.

— J'ignore pourquoi, mais tout a toujours l'air plus appétissant quand on mange dehors ! lança-t-il à la cantonade.

Mais Belle ne quittait toujours pas Martin des yeux, sans un sourire.

— Tout ce que Belle prépare est un délice, fanfaronna-t-il sans se soucier des tensions sous-jacentes.

— C'est une cuisinière hors pair, renchérit Annabelle en avalant une bouchée. Alors, Martin, vous pensez que maman va pouvoir vous mitonner quoi – trois repas par jour ?

Clay mâchait un morceau de son club à la dinde. Son père était certainement assez malin pour éviter cette chausse-trappe.

— Bien sûr que non ! déclara Martin en tapotant la main de Belle. Deux repas par jour me suffiront amplement.

Clay fit la grimace. Belle lança un regard assassin à Martin.

— On peut dire que vous avez raison quant aux talents culinaires de maman, ajouta Annabelle en léchant de la moutarde sur ses doigts. Vous a-t-elle déjà préparé ses côtelettes de porc grillées en sauce ?

Martin hocha la tête en gémissant de gourmandise, ce qui poussa Belle à lui adresser un sourire indulgent.

Clay avala une rasade d'eau tout en étudiant Annabelle. Pour quelqu'un qui essayait de mettre la main sur l'argent de son père, elle y mettait du sien pour saboter les fiançailles. Se serait-il trompé ? Henri serait-il dans l'erreur ? Il reçut un coup de pied dans le tibia, sous la table, et manqua de s'étouffer. Annabelle écarquilla les yeux pour lui faire passer le message. Il se rendit compte qu'elle attendait qu'il participe.

— Euh… papa, tu n'avais pas dit à ton agent que tu aurais perdu cinq kilos d'ici la fête du travail pour présenter cette remise des prix du fitness ?

La main de Martin s'arrêta net. Il avait été sur le point de porter un œuf mimosa à sa bouche, mais il baissa la tête pour poser les yeux dessus.

— Tu as raison, fiston, j'ai dit ça.

Il reposa l'objet du délit sur l'assiette avant d'adresser à Belle un regard penaud.

— Peut-être que tu devrais commencer à cuisiner un peu plus léger. Ce serait préférable pour nous deux, Belle.

Annabelle manqua de s'étouffer.

— Vous trouvez que maman est grosse ? Moi, je la trouve parfaite. Pas vous, Clay ?

Voyant l'expression étonnée de son père, Clay eut presque pitié de lui, mais il se souvint qu'il faisait tout cela dans l'intérêt de Martin.

— Oh oui, papa ! Belle a une ligne impeccable. Je ne vois vraiment pas où tu veux en venir.

Belle se leva subitement, manifestement blessée.

— Je n'ai plus vingt ans, Martin, déclara-t-elle.

— Mais je le sais ! s'écria celui-ci en se levant à son tour. Si j'avais voulu fréquenter quelqu'un de vingt ans…

— Une fois de plus, lança Annabelle.

— Une fois de plus, répéta-t-il sans vraiment le vouloir. Eh bien, je me serais fiancé avec une fille de vingt ans !

— Une fois de plus ? demanda Belle en se penchant pour poser les poings sur la table. Et c'était quand exactement, la dernière fois que tu as fréquenté une fille de vingt ans ?

— Barbie avait bien vingt ans, non ? s'enquit Clay auprès de son père avant de retirer une rondelle de tomate de son sandwich.

C'était la dernière compagne de son père que Clay avait achetée.

— Mais non ! tonna Martin. Elle avait vingt-cinq ans !

— Qui est cette Barbie ? demanda Belle.

— Personne ! s'empressa de répondre Martin. Juste une fille qui avait un faible pour moi… C'était il y a longtemps.

— Quelle honte, Martin ! affirma Belle en croisant les bras. Elle était plus jeune que ma propre fille !

— Mais je ne l'ai pas épousée ! fit remarquer Martin.

Clay observa le drame prendre de l'ampleur sous ses yeux, peinant à croire qu'en si peu de répliques ils étaient parvenus à déclencher un tel tumulte. En face de lui, Annabelle haussa un sourcil triomphant en mâchant lentement.

Il avala sa bouchée. Cette jeune femme était effroyablement efficace en matière de manipulation – elle avait deux ou trois trucs à lui apprendre dans ce domaine.

— Est-ce que cette fille avait signé un contrat de mariage ? murmura bruyamment Annabelle à Clay, le commentaire étant clairement destiné à être entendu de tous.

— Non, rétorqua Clay.

Ce qui était véridique, vu qu'elle avait empoché l'argent et disparu dans la nature.

Belle dévisageait Martin, bouche bée.

— C'est pour ça que tu me fais une scène ? Parce que je n'ai pas signé de contrat de mariage ?

— Bien sûr que non ! gronda Martin.

— Tu n'as qu'à préparer les papiers, déclara Belle. Annabelle les examinera pour s'assurer que personne ne veut profiter de moi à tort.

Clay s'éclaircit la voix.

— Mais comment pourrait-on profiter de vous si tout l'argent appartient à mon père ?

— Ma mère dispose de biens propres également, répliqua Annabelle en se levant et en posant les poings sur la table.

Clay se leva à son tour et se pencha vers elle.

— Ces sommes ne sont pas comparables, objecta-t-il.

Annabelle pinça les lèvres.

— Maman, commença-t-elle sans le quitter des yeux, tu sais que quand j'ai rencontré Clay pour la première fois…

— Annabelle…, la mit-il en garde en secouant la tête.

— … il a pensé que j'étais la fiancée de Martin, poursuivit-elle. Et il m'a offert vingt mille dollars pour prendre la poudre d'escampette.

— Clay, réprimanda Martin. Tu n'as pas fait ça !

Clay se tourna vers son père.

— Tu sais bien que ce n'est pas la première fois que j'ai à payer une femme pour t'en débarrasser, papa.

— Martin ! s'écria Belle. C'est vrai ?

Alors que son père cherchait ses mots pour répondre, Clay vit Annabelle croiser les bras et esquisser un sourire satisfait.

— Clay m'a dit que Martin attendait de lui qu'il fasse une offre alléchante pour qu'il n'ait pas à t'épouser.

— Je pense qu'il est temps de rentrer, déclara Belle, la voix chevrotante.

Elle se mit à ranger la nourriture dans les divers récipients. Un œuf mimosa tomba de la table et s'écrasa par terre.

Martin se massa les tempes.

— Quelqu'un pourrait m'expliquer ce qui vient de se passer ?

— Papa..., commença Clay calmement avant de lui faire signe de se taire.

— Je vais t'aider, maman, lança Annabelle, émettant quelques gémissements réconfortants en commençant à ranger.

Martin s'éloigna de la table de pique-nique en secouant la tête. Clay regarda son sandwich avec regret, puis l'emballa à contrecœur pour le fourrer dans son sac à dos.

Son père s'était appuyé d'une main à un platane, admirant les vallées de la Géorgie du Nord qui offraient tout un camaïeu de verts – bouteille, sapin, olive, émeraude ou pistache. Martin baissait la tête, évoquant à Clay l'image d'un petit garçon, et il songea à l'ironie de cette situation où les rôles parent-enfant s'étaient inversés. La tristesse de son père le toucha – il se souvint des affreuses semaines qui avaient suivi les funérailles de sa mère et de sa petite sœur. Sachant que son père saurait se montrer résistant et que son affection pour Belle n'était qu'une passade, Clay n'éprouva aucun remords.

— Cet endroit est superbe, fit-il remarquer en s'emplissant les poumons d'un air où flottait une délicieuse senteur de pin.

Martin garda le silence et son fils fut surpris de voir qu'il avait les yeux singulièrement brillants. Un battement de cils plus tard, tout avait disparu.

— Ta mère et moi avions l'habitude de venir ici.

Le cœur de Clay se serra.

— Je l'ignorais, s'étonna-t-il.

— Nous t'avons amené ici une ou deux fois, mais tu étais petit.

Martin éclata subitement de rire.

— Delia n'osait même pas te poser par terre, de peur que tu ne te mettes à courir au bord d'une falaise.

— Mes souvenirs d'Atlanta avant sa mort sont assez flous, admit Clay.

Son père se retourna pour admirer la vue.

— Tous les deux, vous passiez le plus clair de votre temps à Los Angeles. C'est quand elle est tombée enceinte pour la dernière fois qu'elle a voulu revenir à Atlanta pour y vivre auprès de sa mère. Et j'ai accepté. À cette époque, je commençais à me lasser de Los Angeles. J'ai donc vendu la maison que nous avions là-bas et j'y ai simplement gardé un pied-à-terre. Puis j'ai fait les allers-retours pour la voir.

Martin se retourna et sourit.

— Et pour te voir aussi, bien sûr.

Clay sentit sa gorge se serrer.

— En amenant Belle ici, j'espérais sans doute retrouver quelques miettes du bonheur que j'ai vécu avec Delia, déclara Martin dans un soupir, portant son regard par-dessus les épaules de Clay. Peut-être était-ce trop demander.

L'un des aspects de la personnalité de Martin qui avaient toujours poussé Clay à garder ses distances était sa capacité à donner dans le mélodramatique – les rares fois où le jeune homme s'était engagé dans des projets passionnés de Martin, il s'était retrouvé tôt ou tard à gérer les aspects matériels, tandis que son père avait déjà filé vers d'autres chimères. Clay ferma les yeux pour lutter contre une migraine particulièrement douloureuse. Pourquoi la vie n'était-elle pas un long fleuve tranquille ?

— On y va quand vous voulez, lança Annabelle.

Comme s'il n'avait pas déjà assez de soucis comme ça, il fallait qu'elle aussi…

Réprimant un grognement, Clay prit une profonde inspiration pour y puiser la force de se retourner et de faire face à ce qui était en train de devenir sa préoccupation principale.

Chapitre 13

— Alors comme ça les tourtereaux commencent à changer d'avis ? s'enquit Domino.

— Ça se pourrait, répondit Annabelle, assise dans une chaise longue sous un petit orme du jardin de sa mère. Ils ont décidé de repousser la date du mariage et de se laisser un peu de temps. Maman a accepté de rentrer avec moi et de rester jusqu'à ce que je m'installe dans mon nouveau chez-moi.

Annabelle fronça les sourcils en voyant osciller les rares branches qui la surplombaient. Dans l'ombre des pins géants de Martin Castleberry, les arbres de sa mère avaient toutes les peines du monde à s'épanouir. L'image lui sembla particulièrement adaptée à la situation.

— Nous prenons un vol pour Detroit après-demain.

Elle se tortilla dans sa chaise en osier, atteinte de bougeotte. La température avoisinait les trente degrés, et l'humidité était à son comble. Quelques coins de ciel bleu étaient visibles ici et là, parmi des nuages cotonneux et des cumulo-nimbus couleur charbon. Il devait pleuvoir quelque part à Atlanta, mais, en cet instant, c'était dans la tête d'Annabelle que la tempête faisait rage.

— Je pensais que c'était ce que tu voulais, déclara Dom, la ramenant ainsi à la réalité. Pourquoi n'as-tu pas l'air plus heureuse ?

La jeune femme rejeta la tête en arrière et poussa un soupir. *Oui, bonne question, pourquoi ?*

— Parce que maman n'a pas arrêté de pleurer ces trois derniers jours.

Ces larmes lui fendaient le cœur et lui rappelaient les terribles jours qui avaient suivi les funérailles de son père.

Dom émit un gémissement désolé.

— Pauvre Belle ! Peut-être qu'elle aime réellement cet homme.

— Possible, oui, concéda Annabelle. Mais ça ne veut pas dire que Melvin...

— Martin...

— ... l'aime en retour, ni qu'il ait l'intention de rester fidèle.

— Et toi, tu es sûre à cent pour cent que ce ne sera pas le cas ? demanda Domino.

Annabelle se leva et fit pivoter sa tête de part et d'autre pour soulager la tension dans ses cervicales – elle avait encore été victime d'insomnie la veille.

— Dom, le tableau de chasse de ce don Juan est bien fourni.

— C'est encore l'avocate qui dresse un portrait à charge de l'accusé, dit son amie en s'esclaffant. On ne se refait pas, hein ?

— Non, rétorqua la jeune femme en fronçant les sourcils.

Elle crut entendre un « splash » de l'autre côté de la haie arborée de quatre mètres de haut qui séparait le jardin de sa mère de celui des Castleberry. Elle piquerait bien une tête à cet instant précis. Elle se demanda si c'était Martin ou Clay qui se délassait dans l'eau fraîche.

Ou peut-être était-ce une invitée ?

— Attends, comment ça, on ne se refait pas ?

Dom émit un sifflement.

— Dis donc, tu es sacrément sur la défensive. Il doit y avoir autre chose qui t'embête. Tu peux m'en parler ?

Annabelle se fraya un chemin entre les hémérocalles orange pour atteindre un trou de la taille d'une pièce de monnaie situé entre deux planches de la haie.

— Rien de particulier. Enfin, je suis navrée de voir ma mère si déçue, mais elle s'en remettra, affirma la jeune femme.

— Pourquoi est-ce que j'ai l'impression que tu y es pour quelque chose dans leur prise de bec ? interrogea Dom.

— Clay et moi, nous…

— Clay ? l'interrompit son amie. Alors tu as manigancé tout cela avec l'aide du fils Castleberry ?

Annabelle se hérissa en percevant les insinuations de Dom et repoussa le souvenir qui venait de lui traverser l'esprit : celui du moment où elle avait volé une photo du jeune homme lors de leur randonnée.

— Disons que nous partageons le même objectif, voilà tout. Et nous avons peut-être donné un petit coup de pouce à nos parents, c'est vrai. Mais il valait mieux qu'ils prennent conscience de leurs différences maintenant.

La jeune femme se pencha et colla son œil contre l'ouverture de la haie pour y apercevoir Clay qui sortait de la piscine. Son cœur s'emballa.

— Alors tu as passé pas mal de temps avec lui, pas vrai ?

Il se tenait à une dizaine de mètres d'elle, de face, ignorant qu'il était observé. L'eau ruisselait sur son corps, épousant les formes de son maillot de bain noir et mettant en valeur sa silhouette musclée. Sans parler de sa virilité. La jeune femme peina à déglutir.

— Annabelle ?

— Hein ?

— Je t'ai demandé si tu avais passé beaucoup de temps avec le fils.

À la recherche d'un meilleur angle, Annabelle fronça les sourcils quand il sortit de son champ de vision.

— Je ne dirais pas ça, répondit-elle.

— Et il est vraiment canon ? s'enquit son amie.

La jeune femme se raidit, soudain penaude, et regarda aux alentours pour s'assurer que personne ne l'avait surprise en train d'espionner son voisin.

— Honnêtement, je n'en ai aucune idée, Dom. Quoi de neuf au bureau ?

— C'est le calme plat. Le côté positif, c'est que ça me laisse le temps de me former à tous ces machins du cyberespace. Figure-toi que je me suis inscrite sur un site Web d'annonces immobilières.

— Et tu as trouvé un appartement ? demanda Annabelle.

— Je vais en visiter deux ce soir. Oh, et je passerai voir Chouquette tant que j'y suis.

— Merci. Je te dois une fière chandelle.

— J'imagine que c'était simplement trop beau pour être vrai, déclara Domino en poussant un soupir théâtral.

— Qu'est-ce qui était trop beau pour être vrai ?

— Que l'homme idéal débarque, te séduise et t'emporte loin, très loin de ce bureau tout triste.

— Tu regardes trop la télévision, réprimanda-t-elle son amie rêveuse. En imaginant que l'homme idéal puisse exister, ce dont je doute fortement, il y a peu de chance qu'il débarque...

Le craquement d'une brindille la fit se retourner. Vêtu d'un jean et d'un tee-shirt mouillé, Clay se tenait dans son jardin et la dévisageait en la saluant d'un geste.

Un tapotement se fit entendre à l'autre bout du fil.

— Annabelle, tu es toujours là ?

— Euh... oui, murmura-t-elle.

Clay se désigna du doigt puis montra le sentier, indiquant qu'il pouvait repasser si elle préférait. La jeune femme secoua la tête.

— Que se passe-t-il, Annabelle ? Tu es avec quelqu'un, là ? chuchota son amie.

— Euh… oui.

— Je parie que c'est lui ! s'écria Dom, tout excitée. Oh, je le savais !

— Écoute, Dom. Il faut que je file, mais je te rappelle cet après-midi. Merci pour les infos sur la maison.

— Dis-moi que tu vas bientôt rentrer, dit son amie.

— Quoi ?

— Allez, dis-le-moi !

— D'accord… Je vais bientôt rentrer, déclara la jeune femme.

— Et dis que je te manque.

— Quoi ?

— Allez, dis-le !

— Et… tu me manques.

La jeune femme agita les doigts, se sentant stupide et se demandant où son amie pouvait bien vouloir en venir.

— Au revoir.

Elle raccrocha et composa un sourire à l'adresse de son visiteur surprise.

— Salut, lança celui-ci avec un geste en direction d'Annabelle. Qu'est-ce que vous faites au fond de votre jardin ?

Elle se rendit compte qu'elle se tenait au beau milieu d'un paillis d'écorces de pin, derrière une rangée de berbéris.

— Euh… je désherbe, répondit-elle en s'éloignant de la haie et du petit judas, grimaçant quand une épine écorcha son genou nu.

Il haussa un sourcil.

— Vous désherbez ?

Elle se pencha pour arracher une poignée de chiendent et la brandit pour illustrer son propos.

— Vous voyez ?

Il s'approcha, désignant de la tête le téléphone se trouvant dans son autre main.

— Je ne voulais pas vous déranger dans votre conversation.

Se souvenant des commentaires enthousiastes de Domino, elle sentit le rouge lui monter aux joues.

— Je prenais simplement des nouvelles.

Il la considéra quelques secondes.

— J'ai entendu que vous partiez bientôt, fit-il remarquer, l'air de rien.

Sur un ton agréable. Nonchalant.

Annabelle acquiesça et s'avança vers lui.

— Oui. Maman a accepté de rentrer avec moi.

Il étira sa bouche de part et d'autre.

— C'est certainement ce qu'il y a de mieux à faire.

Il était heureux de la voir partir – mais pourquoi ses paroles la blessaient à ce point ? N'était-elle pas tout aussi heureuse de partir ?

— Alors, lança-t-elle d'un ton léger, vous êtes venu me proposer de l'argent une nouvelle fois ?

Une ride se forma sur le front du jeune homme.

— En réalité, je voulais vous dire…

— Annabelle, ma chérie ?

Belle se tenait dans l'embrasure de la porte vitrée coulissante, abritant ses yeux des rayons du soleil. Elle semblait fatiguée.

— Oui, maman ?

Belle s'immobilisa et retoucha sa coiffure dans un élan de coquetterie.

— Oh, Clay. Je n'avais pas vu que vous étiez là.

— Bonjour, madame Coakley, dit celui-ci avec un hochement de tête respectueux.

Le regard de Belle passa du jeune homme à la jeune femme d'une façon qui alarma Annabelle.

— Maman, tu avais besoin de quelque chose ?

Belle acquiesça.

— J'allais me faire une tasse de thé et je me suis rendu compte qu'il ne m'en restait plus qu'un sachet. Je n'ai pas très envie de sortir, ma chérie, il y a tant de choses à emballer encore. Pourrais-tu faire un tour rapide au supermarché pour m'acheter deux ou trois choses ?

Annabelle ouvrit la bouche pour dire oui, si la voiture voulait bien démarrer, mais Clay lui coupa l'herbe sous le pied.

— Madame Coakley, j'allais justement faire des courses moi-même – je serais heureux d'emmener Annabelle.

Il lui lança un regard, cherchant son acquiescement, et la jeune femme sentit sa tête s'abaisser à plusieurs reprises.

— Merci, Clay, lança Belle, un sourire distant aux lèvres.

Elle rentra dans la maison puis se retourna.

— Clay, comment va votre père ?

Prenant conscience du courage qu'il avait fallu à Belle pour oser poser cette question, Annabelle se laissa gagner par le remords l'espace d'un instant, car elle était en grande partie responsable du dépit de sa mère.

— Il va bien, répondit Clay d'une voix dénuée d'émotion.

Quand le silence se fit pesant, il ajouta :

— Il a dit qu'il avait des choses à faire, et est parti tôt ce matin.

Belle acquiesça puis se retourna pour disparaître dans la maison. L'apathie de sa mère serrait le cœur d'Annabelle ; après avoir demandé à Clay de passer la prendre, elle se hâta de rentrer.

— Maman ?

Elle parcourut toutes les pièces, étonnée de finir par la trouver dans le petit bureau à côté du salon, debout face à un placard ouvert, le nez enfoui dans une chemise à carreaux qu'Annabelle reconnut comme ayant appartenu à son père. Elle cligna des yeux pour retenir ses larmes.

— Maman ? répéta-t-elle.

Belle se retourna, les yeux larmoyants. Visiblement gênée, elle sourit et caressa la chemise élimée.

— Ton père portait ce vieux chiffon la veille de son arrêt cardiaque. Il l'avait laissée accrochée à la colonne de lit, expliqua Belle en riant malgré ses larmes. Il avait toujours du mal à mettre le linge au sale, ajouta-t-elle.

Son visage se tordit et elle leva un regard perdu vers Annabelle pour faire remarquer :

— Son odeur a complètement disparu.

Annabelle s'avança vers sa mère et l'enlaça, laissant couler ses propres larmes.

— Oh, maman, je n'imagine même pas à quel point papa peut te manquer !

Belle serra Annabelle très fort et ses épaules furent secouées de sanglots. Ne sachant que faire, la jeune femme, paralysée, sentit son cœur se briser en voyant la peine qu'éprouvait sa mère. Belle finit par respirer un grand coup et se libérer de l'étreinte de sa fille, tâchant visiblement de passer à autre chose.

— Regarde-moi un peu, toutes ces histoires que je fais ! s'exclama-t-elle.

— Ne t'en fais pas, maman, répliqua Annabelle, tu en as bien le droit.

Sa mère sortit une chaîne en argent du col de son chemisier. Annabelle fut bouleversée de voir que son alliance y était suspendue.

— Toutes ces sensations de jeune fille en fleur m'ont fait imaginer que j'étais de nouveau amoureuse, murmura Belle en frottant la trace laissée par sa bague à son annulaire. Mais peut-être n'était-ce qu'une illusion.

Elle pinça ses lèvres tremblantes et ajouta :

— Peut-être ne suis-je qu'une vieille naïve.

C'était étrange, mais Annabelle avait toujours considéré que sa mère était au-dessus de la plupart des autres femmes.

— Oh, maman ! chuchota-t-elle en essuyant les larmes de Belle. Tu n'es pas naïve, tu es sensible. Tout le monde a envie de tomber amoureux.

— Même toi, Annabelle ? s'enquit Belle dans un sourire larmoyant.

La jeune femme cligna des yeux et chercha ses mots, repoussant l'image du séduisant sourire de Clay qui venait de surgir dans son esprit.

— Je ne suis pas un monstre. J'aimerais connaître… ça. Un jour.

Belle pencha la tête sur un côté et son regard s'adoucit.

— Je commençais à me demander si ce travail que tu t'es dégotté n'avait pas trop endurci ton cœur.

Était-ce le cas ? s'interrogea Annabelle. Son travail avait-il endurci son cœur au point de l'empêcher de connaître l'amour à tout jamais ?

— Je me contente d'être réaliste quant aux chances que j'ai d'entretenir une relation sur le long terme.

— Tu as raison, acquiesça Belle.

Elle se moucha avant de prendre une nouvelle inspiration.

— Martin ne m'aime pas réellement, sinon il n'aurait pas renoncé aussi facilement à notre relation. Je pense qu'il considère mon départ pour le Michigan comme une porte de sortie pour lui.

Annabelle était d'accord, mais garda le silence. Elle aurait toutefois aimé pouvoir partager le chagrin de sa mère, tant il lui sautait aux yeux.

Mais l'expression de Belle changea subitement et elle afficha un sourire radieux.

— Mais j'ai tant de chance de t'avoir ! s'exclama-t-elle en prenant le visage d'Annabelle dans ses mains. Ce temps que nous allons passer ensemble nous donnera l'occasion de nous concentrer sur ce qui est vraiment important, et ton père aurait aimé cela.

« Anna, promets-moi que tu veilleras sur ta mère s'il m'arrive quelque chose. »

— Oui, répliqua la jeune femme, vivement soulagée que sa mère semble commencer à se remettre.

— Maintenant, lança Belle en s'essuyant les joues, je vais terminer ces cartons. Quand tu rentreras des courses, jetons un œil ensemble aux bulbes à fleurs que j'ai au garage. Nous pourrons en choisir quelques-uns pour planter une allée de plantes vivaces autour de ta nouvelle maison. Clay doit se demander ce que tu fabriques, fit-elle remarquer dans un sourire avant de coincer une mèche de cheveux d'Annabelle derrière son oreille. Au moins, on dirait que vous avez fini par sympathiser tous les deux.

Le cœur de la jeune femme se mit à battre la chamade.

— Nous ne sommes pas vraiment amis, maman.

— Disons que vous vous entendez bien, précisa Belle en lui tapotant la main. Je suis heureuse que les différends entre Martin et moi ne vous aient pas atteints.

— Maman…, commença Annabelle.

Belle se retourna pour suspendre la chemise de son père parmi les vêtements d'hiver rangés dans le placard, puis elle en ferma la porte pour présenter un visage de marbre à sa fille.

— Nous n'avons plus de lait, ma chérie. Pas besoin d'acheter une grosse bouteille vu que nous partons bientôt.

Et d'un coup d'un seul, Belle la femme au chagrin d'amour avait cédé la place à Belle la bonne mère de famille.

— Bien sûr, acquiesça Annabelle en quittant la pièce. Ce ne sera pas long.

Elle traversa la maison, chamboulée par les innombrables émotions qui assaillaient son cœur – des remords, du soulagement… mais aussi une autre chose difficile à identifier.

Tirant le rideau de la fenêtre du salon, elle fut surprise de voir Clay au volant d'un énorme pick-up noir stationné au bout de son allée. Elle ébaucha un sourire – cet homme ne cessait de la surprendre. Et, à cet instant, elle comprit tristement quel autre sentiment la tiraillait.

C'était l'impatience.

* * *

Cela ne dérangeait pas Clay d'attendre, car il craignait de devoir admettre qu'il s'était trompé sur elle. Henri n'avait toujours pas livré son rapport sur Annabelle Coakley, mais le jeune homme en était venu à la conclusion qu'il s'était mépris au sujet de la belle – peut-être n'agissait-elle que pour le bien de sa mère. Elle avait visiblement hâte d'emmener Belle dans le Michigan afin de la tirer des griffes de son père.

Mais il fronça les sourcils quand il se souvint de la conversation téléphonique qu'il avait interrompue un peu plus tôt. Était-ce à cause de ce Dom qu'Annabelle était si pressée de rentrer à Detroit ?

Clay se massa l'arête du nez, car il se doutait que la boule de crainte qui s'était logée dans sa poitrine était causée par tout autre chose. Il commençait à éprouver ces étranges sentiments…

— Désolée de vous avoir fait attendre !

Il tourna la tête en direction de la voix provenant de la fenêtre passager abaissée. Annabelle ouvrit la portière et il se pencha pour lui tendre la main, atténuant la force de sa poigne afin de s'adapter aux doigts fins de la jeune femme.

— Merci, lança-t-elle, à bout de souffle, tandis qu'elle s'installait sur le siège et refermait la portière dans un claquement.

Il ne s'était pas rendu compte qu'il lui tenait toujours la main, jusqu'au moment où elle riva ses yeux sur leurs doigts entremêlés. Passablement gêné, il la lâcha. Elle posa son sac sur le siège qui les séparait, puis balaya du regard la cabine du grand pick-up.

— Eh bien, quel engin ! lança Annabelle.

Ses cheveux aux teintes chaudes étaient attachés, offrant à Clay une vue dégagée sur le profil de la jeune femme – un nez et un menton aux contours parfaits, des sourcils bien dessinés, des pommettes saillantes. Elle portait un short en jean et un débardeur vert orné d'un tournesol sur le devant. Pas de maquillage autant qu'il puisse en juger, car ses taches de rousseur ressortaient. Cette femme respirait la santé et il fut pris d'une envie de poser ses mains sur elle, pas pour se faire plaisir, mais simplement pour la garder près de lui jusqu'à pouvoir clarifier les sentiments qu'elle suscitait en lui.

Perturbé par le tour que prenaient ses pensées, il lui décocha un sourire.

— Je me demande si je dois le prendre comme un compliment ou comme une insulte.

Annabelle haussa les épaules, distraite par la boussole numérique sur le tableau de bord. Sa frustration augmenta un tantinet, car il avait fait cette remarque le plus sérieusement du monde et elle ne semblait pas s'en préoccuper.

— Pourquoi avez-vous un pick-up ? insista-t-elle, l'air incroyablement jeune pour une avocate spécialisée dans les divorces.

— C'est pratique pour transporter du matériel vers le terrain que je possède un peu plus au nord.

Il mit le contact et démarra.

— D'ailleurs, il faut que j'y passe pour déposer quelques papiers à un géomètre – ça ne vous dérange pas de faire ce petit détour ? demanda-t-il en découvrant ses dents blanches.

— C'est loin ? s'enquit-elle.

Clay sentit son irritation monter d'un cran – elle avait des choses plus intéressantes à faire, bien sûr – notamment boucler ses valises pour rentrer retrouver Dom.

— Il faut compter environ vingt minutes de trajet, mais je peux vous emmener faire vos courses et vous ramener chez votre mère si vous n'avez pas le temps.

Elle fit la moue et secoua la tête.

— Non, ça ira. C'est juste que je ne veux pas la laisser seule trop longtemps. Merci de me conduire, au fait. La voiture de maman est au bout du rouleau, expliqua-t-elle.

Un soupçon d'inquiétude effleura le jeune homme quand il se souvint qu'Henri lui avait rapporté que les deux femmes avaient essayé des berlines de luxe – est-ce qu'elle sous-entendait qu'elle avait besoin qu'on lui offre une nouvelle voiture ? Regrettait-elle de ne pas avoir empoché l'argent qu'il lui avait proposé au départ ?

— Comment va votre mère ? demanda-t-il tandis qu'ils quittaient leur quartier résidentiel.

— Elle va se remettre, répliqua Annabelle sur un ton apaisant. Elle a presque admis qu'elle avait accepté d'épouser Martin en raison de sa solitude.

Je suis sûre que leur petite idylle n'ira pas plus loin. Et votre père ?

— Pareil – un peu déprimé, mais il a l'air de se résigner à laisser Belle partir.

Il changea de position sur son siège, gêné par ce sentiment que quelque chose d'important était en train de lui filer entre les doigts à lui aussi.

— Papa m'a dit qu'il pourrait même m'accompagner à Paris, ajouta-t-il.

— J'imagine que vous allez bientôt repartir alors.

Il hocha la tête, se rendant subitement compte qu'il avait oublié d'appeler la compagnie aérienne le matin. Où avait-il la tête ?

— Oui, le plus tôt possible, mais, je voulais profiter de mon passage à Atlanta pour m'occuper de deux ou trois choses à la ferme.

— À la ferme ? s'étonna-t-elle en haussant les sourcils.

Il sourit.

— Ce n'est pas vraiment une ferme, juste un endroit où je peux me vider la tête.

Exactement ce dont j'ai besoin en ce moment.

Elle acquiesça et émit un grognement pensif.

— La bibliothèque de la fac de droit.

— Pardon ? demanda-t-il en lui lançant un regard.

— La bibliothèque de la fac de droit – c'est là que je vais me vider la tête.

Étonnamment, il n'avait aucun mal à l'imaginer en tailleur et talons, avec sa lingerie léopard en dessous. Au fil du temps, Annabelle Coakley en dévoilait toujours un peu plus sur elle – mais jamais autant que lorsqu'il se la figurait au cœur de la nuit.

— Vous avez un emploi du temps professionnel chargé ?

Elle éclata d'un rire franc, visiblement décontenancée.

— Je gère pas loin de cent cas de divorce par mois.

Il secoua la tête.

— Voilà qui a l'air déprimant – comment faites-vous ?

Elle regarda le paysage par la fenêtre pendant un long moment, puis finit par dire :

— Vous savez quoi ? Je meurs de faim.

Il cligna des yeux, étonné par le soudain changement de sujet puis fit ralentir le véhicule sans le vouloir.

— Nous pouvons nous arrêter en chemin et manger un morceau.

— Quelque chose à emporter ferait l'affaire, indiqua-t-elle. Y a-t-il de quoi s'asseoir chez vous ?

Clay considéra son corps gracile, sa peau resplendissante qu'il mourait d'envie de caresser, ses yeux aux reflets d'or, et il fut submergé par une envie irrépressible de mettre le pied au plancher et de continuer à rouler jusqu'à ce qu'ils aient laissé toute réalité derrière eux. Il avait une envie compulsive de... vivre cette femme, il voulait à tout prix en savoir plus sur elle. Mais le temps leur était compté.

— Clay ?

— Hein ?

Il cligna des yeux.

— Je vous ai demandé s'il y aurait de quoi s'asseoir une fois sur place.

Le jeune homme sentit son corps s'échauffer et il fut gagné par un mélange de crainte et d'impatience à l'idée de se trouver seul avec Annabelle. Son instinct lui disait que cette situation serait dangereuse et un peu folle. Il ferait mieux de l'emmener faire ses courses, prendre des repas à emporter et la ramener chez elle directement. Il n'avait pas l'habitude d'aller à l'encontre de son instinct.

— Clay ?

— Je pense que l'on trouvera bien un petit coin ombragé.

Chapitre 14

Annabelle pivota sur elle-même avant de se tourner vers Clay.

— Comment avez-vous trouvé cet endroit ?

Il arbora un sourire de petit garçon fier de lui lorsqu'il posa les sacs de provisions sur le tronc d'un arbre abattu recouvert de mousse.

— Je suis tombé dessus l'an dernier en me perdant à la recherche d'un parcours de golf.

Il s'assit à califourchon sur le tronc et ouvrit le sac blanc.

— Inutile de dire que je n'ai jamais sorti mon club de son sac.

— C'est le paradis ici, s'ébahit-elle, se sentant vraiment bien pour la première fois depuis qu'elle avait quitté Detroit.

Une petite crique qu'elle pouvait traverser en une bonne plongée et un banc de sable s'offraient à leurs yeux. Loin, bien plus loin et plus haut, les branches des pins parasols se frottaient les unes aux autres, comme si elles parlaient entre elles.

— Quelle portion de ce terrain possédez-vous ?

— Environ douze hectares, à la louche.

Elle inspira profondément, se délectant de l'air aux senteurs d'eucalyptus, puis revint s'asseoir sur l'arbre, face à Clay. Sous la canopée basse des cornus, elle eut l'impression de redevenir une enfant, ses jambes se balançant de part et d'autre de l'arbre gigantesque qui avait chu tant de temps auparavant. Leurs regards se croisèrent et cette étrange impression de connexion entre eux la traversa une nouvelle fois.

C'est parce qu'ils avaient atteint leur objectif mutuel visant à empêcher le mariage, raisonna-t-elle. Toujours était-il que l'intimité de cet espace isolé de tout l'effrayait, et elle regrettait d'avoir suggéré qu'ils viennent y déjeuner. Les contours de sa mâchoire, l'arête de son nez et les courbes de sa lèvre supérieure lui étaient maintenant dangereusement familiers. Il n'avait pas bien dormi la veille, et le fait qu'elle s'en rende compte l'ennuyait autant que le fait de savoir qu'il subissait des insomnies lui aussi.

Le quittant des yeux pour déballer son hamburger, elle s'efforça de garder un ton léger.

— Si j'en crois les plans que vous venez de donner à cet homme, vous vous apprêtez à construire prochainement.

— Vous avez eu le sandwich sans tomates ? demanda-t-il en déballant le sien et fronçant les sourcils.

— Hun-hun, confirma-t-elle avec un hochement de tête.

Ils échangèrent leurs sandwichs avec une spontanéité qui la stupéfia.

— Alors ? lança-t-elle après avoir enfourné une bouchée. Vous construisez bientôt ?

— Un jour, oui, répliqua-t-il en haussant les épaules, la bouche pleine. L'homme à qui j'ai porté les plans de travail pour le service des forêts m'aide à choisir une stratégie pour remplacer ces arbres abattus par une bambouseraie. L'idée sera d'utiliser ces bambous que j'aurai fait pousser pour construire.

Annabelle se repositionna sur le tronc – laissant ainsi la mousse lui tacher son short, sans l'ombre d'un doute. Cet aspect de Clay, soucieux de l'environnement, ne cadrait pas vraiment avec l'image du cadre surbooké et jet-setter qui s'était imposée dans sa tête.

— J'avais l'impression que vous ne passiez pas beaucoup de temps à Atlanta.

— Ça dépend, dit-il sans lever les yeux.

— De quoi ?

Ses joues se creusaient et se gonflaient à mesure qu'il mâchait lentement.

— De la météo… de mon compte en banque, précisa-t-il en levant les yeux. Et de papa.

Feignant d'être absorbée dans la contemplation d'une frite, elle chercha les mots qui lui permettraient d'exprimer la question qui lui trottait dans la tête.

— Et vous n'avez aucune autre attache à Atlanta ?

— Je ne suis pas du genre à avoir beaucoup d'attaches, déclara-t-il d'une voix brusque tandis qu'il s'essuyait la bouche à l'aide d'une serviette en papier.

Elle avala une bouchée un peu trop grosse.

— Dans ce cas, je suis sûre que vous vous sentirez mieux quand je serai partie.

Il haussa les sourcils de quelques millimètres.

Annabelle s'empressa de rectifier le tir.

— Je veux dire… quand j'aurai emmené ma mère à Detroit.

Clay la considéra pendant un si long moment qu'elle se mit à rougir, se demandant si sa folle et soudaine attirance physique pour lui était si évidente qu'il s'apprêtait à lui rire au nez. *Et une conquête de plus pour les Castleberry.*

Au lieu de cela, il termina son sandwich, roula en boule le papier d'emballage et le jeta dans le sac avant de se pencher en avant.

— Nous avons été interrompus ce matin ; ce que j'essayais de vous dire, c'est que…

Elle était fascinée par lui, bercée par la douceur subite de sa voix. *Que vous auriez préféré me rencontrer dans d'autres circonstances ? Que vous cherchez une bonne avocate pour vous aider à liquider votre affaire à Paris ?*

— Que quoi ?

Il prit une profonde inspiration, gonflant sa poitrine.

— Que j'ai apprécié votre aide cette semaine.

Il se mit à rire et leva les mains au ciel.

— Si seulement j'avais su, je serais resté à Paris, ajouta-t-il.

Annabelle sentit son ventre se serrer. Elle avait des idées romantiques plein la tête et lui, il se disait que cela aurait été pareil s'ils ne s'étaient jamais connus.

— Si vous aviez su ?

Clay acquiesça.

— Si j'avais su que vous étiez la personne idéale pour convaincre nos parents que leur mariage était un acte irresponsable.

Peut-être avait-il une maîtresse à Paris.

— Je suis la personne idéale ?

— Bien entendu, répliqua-t-il en la désignant d'un geste vague. Vous savez mieux que quiconque à quel point le mariage peut faire des ravages.

Il disait vrai – elle avait tenu le même discours à plusieurs reprises. Alors pourquoi est-ce que dans la bouche de Clay ces paroles l'irritaient ? Ayant perdu tout appétit, elle remballa son sandwich entamé et le reposa dans le sac.

— On peut dire que tout le monde excelle dans un domaine ou dans un autre, déclara-t-elle avec un sourire désinvolte, tirant sur la paille de son soda.

Ayant séché de façon désordonnée après son plongeon matinal, la chevelure de jais du jeune homme retombait sur son front dans une masse épaisse et brillante. Son tee-shirt de coton épousait parfaitement les muscles de son torse et de ses épaules, et Annabelle remarqua une légère cicatrice sur son avant-bras, juste en dessous de sa pilosité brune. Ses grandes mains étaient posées sur ses cuisses – au moins, le mystère de leur aspect rêche avait été élucidé – et elle se rendit compte dans un élan de désir féminin qu'elle n'avait jamais rencontré d'homme plus séduisant. Étaient-ce ces mêmes sensations décousues qui lui donnaient des fourmis que sa mère ressentait quand elle pensait au père de Clay ?

— Donc…, commença-t-il en agitant les mains et en souriant. Merci.

La remerciait-il d'avoir fait preuve d'un cynisme communicatif au sujet du mariage en général ? Elle arriva au bout de son soda, provoquant un bruit de succion avec sa paille.

— Mais de rien…

Le jeune homme éclata subitement de rire.

— Je me disais que c'était dommage que nous ne vivions pas dans la même ville.

Le cœur d'Annabelle bondit dans sa poitrine.

— Pourquoi ça ?

— Peut-être aurions-nous pu nous croiser de temps à autre.

Voulait-il lui suggérer qu'il aurait aimé lui donner des rendez-vous galants ? Elle tenta d'émettre un petit rire.

— Je doute que nous fréquentions les mêmes cercles, fit-elle remarquer.

— Quel genre de cercles pensez-vous que je fréquente ? s'enquit-il en lui adressant un regard suspicieux.

— Vous savez… ceux réservés à la jeunesse dorée, répondit-elle en haussant les épaules.

— Seulement quand le devoir me l'impose, riposta-t-il, l'air moqueur. Je préfère me trouver en bonne compagnie… comme c'est le cas avec vous.

Tout à coup, la jeune femme eut l'impression que les arbres l'encerclaient, et les bruits venant de la crique et des insectes au sol se mirent à rugir dans ses oreilles. Son cœur battait la chamade et, l'espace d'un instant, elle crut faire une crise d'angoisse.

— Il faut que j'y aille, bredouilla-t-elle en se levant tant bien que mal.

— Bien sûr.

Il enjamba le tronc et se laissa glisser par terre avec aisance, puis lui tendit la main.

— Est-ce que ça va ? s'enquit-il.

Elle hocha la tête, mais accepta son aide jusqu'à ce qu'elle ait les deux pieds bien plantés au sol. Plus vite ils quitteraient ces lieux, plus vite elle pourrait rentrer chez sa mère et faire ses bagages pour rentrer à Atlanta, et plus vite elle pourrait oublier ce déchaînement de ses sens.

— Vous avez une feuille dans les cheveux, dit-il avec un sourire en coin, et il leva la main pour la retirer.

Elle fut envahie par un sentiment de crainte, car elle se doutait qu'il allait l'embrasser une nouvelle fois, et elle savait qu'elle allait le laisser faire. *Ce sera notre dernier*, se justifia-t-elle tandis qu'il se penchait pour poser ses lèvres sur les siennes. *Et le meilleur*, remarqua-t-elle dès que ses sens furent éveillés. Après une seconde d'hésitation, elle soupira dans la bouche du jeune homme, se rapprochant de lui, enroulant ses doigts autour de ses biceps.

Son étreinte était si puissante qu'il la souleva quasiment du sol. Il fit glisser ses mains le long du dos d'Annabelle et les passa sous l'ourlet de son chemisier pour saisir sa taille. Elle eut le souffle coupé lorsque, de ses pouces, Clay caressa la peau nue de son ventre, à quelques centimètres seulement de ses seins aux pointes dressées. Il se mit à la couvrir de baisers en suivant le contour de sa mâchoire, pour arriver au lobe de son oreille, puis son cou, où il s'attarda sur ses veines palpitantes. Annabelle se cambra contre son corps ferme, succombant à sa puissance, sa virilité. Il la blottit contre lui, leurs deux corps s'emboîtant parfaitement. Clay expirait par salves d'air chaud, murmurant le prénom de la jeune femme et lui promettant du plaisir, faisant frissonner sa peau dénudée.

Elle déploya un effort surhumain pour réfléchir. Un vague sentiment d'appréhension semblait près de l'envahir – elle ne devrait pas embrasser Clay, ne devrait pas ressentir ces choses-là, mais elle ne parvenait pas à se rappeler pourquoi.

Un instant elle se tenait debout, le corps collé à celui du jeune homme, puis l'instant suivant Clay l'incitait à s'étendre dans l'herbe sèche et elle se trouvait allongée, docile et offerte sous lui. Les mouvements de leurs lèvres et de leurs mains se firent plus pressants – il souleva le chemisier de la jeune femme et elle sortit le tee-shirt de Clay de son jean.

Il abaissa la tête pour titiller un téton pointant à travers le fin soutien-gorge à imprimé léopard. Elle passa les mains sur les muscles tendus de son dos. Il retira son soutien-gorge avec les dents et elle tendit les mains pour défaire sa ceinture. Le corps et l'esprit d'Annabelle se délectaient d'un plaisir intense... Cet homme la rendait folle... Elle brûlait d'impatience de le posséder.

Elle ressentit une frustration grandissante lorsqu'une alarme résonna à ses oreilles, sur un rythme rapide et saccadé. Clay gémit et retira ses lèvres. Elle se rendit lentement compte qu'il s'agissait de coups de Klaxon qui leur étaient visiblement adressés.

Percevant le mécontentement dans le regard du jeune homme, Annabelle se recroquevilla et redescendit sur terre. Clay soupira bruyamment et se leva. Un sentiment de honte s'empara d'Annabelle tandis qu'elle remettait de l'ordre dans ses vêtements. Clay et elle avaient conspiré pour séparer leurs parents, et voilà qu'ils se retrouvaient à se rouler dans l'herbe comme un couple d'adolescents incapables de contrôler leurs pulsions.

— Désolé. Je lui ai dit qu'il pouvait klaxonner s'il avait besoin de quelque chose, expliqua Clay en lui tendant la main pour l'aider à se relever.

— Allez-y, parvint-elle à répondre en croisant les bras sur son ventre. Je ramasse nos affaires et je vous rejoins.

Il étudia son visage quelques secondes, puis acquiesça poliment avant de tourner les talons, écartant les buissons et marchant sur les mottes d'argile rouge qu'ils avaient soigneusement évitées en arrivant.

Elle commença à frissonner, et la boule qui s'était logée dans sa gorge refusait de disparaître. Elle s'efforça de retenir des larmes de dépit en le regardant s'éloigner. Sa mère éprouvait-elle les mêmes sentiments quand elle regardait Martin ? Était-il possible qu'elle soit en train de tomber amoureuse de Clay Castleberry ? Cette idée lui paraissait invraisemblable ; et, bien sûr, une migraine commença à gagner ses tempes. *Peu importe*, se rappela-t-elle, *demain, à la même heure, il sera en route pour Paris, et moi pour Detroit.*

Elle se mit à rire jaune. Paris, Detroit. Des destinations qui illustraient à merveille leurs différences. Le glamour et le banal. Elle s'accorda une minute complète pour s'apitoyer sur son sort avant de se détourner de l'image de Clay qui marchait au loin.

* * *

Annabelle faisait la queue au supermarché, tapant du pied, son agitation décuplée à l'idée que Clay était en train de l'attendre sur le parking. Ils s'étaient à peine adressé la parole depuis qu'ils avaient quitté le site isolé. La jeune femme qui la devançait dans la file à moins de dix articles dépassait allégrement cette limite. Oh, et génial – voilà que la resquilleuse voulait payer par chèque.

Trépignant d'impatience, elle jeta un œil aux autres files d'attente qui s'étendaient aussi loin que son regard portait. Depuis qu'elle avait quitté Atlanta, les quartiers nord étaient surpeuplés – mais d'où pouvaient bien venir tous ces gens ?

Certainement du Michigan, songea-t-elle. Là-bas, les hivers rudes devaient en faire rêver plus d'un de cieux plus cléments et ensoleillés.

Cherchant à passer le temps, Annabelle jeta un œil aux tabloïds étalés sous ses yeux. Le gouvernement américain avait passé sous silence sa découverte d'or sur Mars. À Memphis, une femme affirmait qu'Elvis lui chantait de nouvelles chansons d'entre les morts. Et…

Elle écarquilla les yeux en voyant le sous-titre « Casanova Castleberry a encore frappé ! » imprimé en lettres rouges, article en page 3. Elle s'empara brusquement d'un exemplaire du journal, faisant ainsi tomber un sachet de pâte à gâteau.

Elle parcourut la page et s'attarda sur une photo représentant Belle et Martin penchés sur la table de pique-nique où ils s'étaient arrêtés trois jours plus tôt. Ils s'embrassaient fougueusement sur cette image. L'article disait :

> « Cette femme mystère surprise à faire la belle avec Martin Casanova Castleberry, l'acteur légendaire, dans un recoin d'Atlanta sera-t-elle

la sixième épouse du tombeur d'Hollywood ? Selon les clients d'un restaurant local, la vedette aurait annoncé ses fiançailles en public dans cet établissement. Dans la photo ci-dessous, on peut voir les tourtereaux prendre du bon temps en pleine nature en compagnie du fils de Martin, Clayton Castleberry, le businessman originaire d'Atlanta, et d'une jeune femme dont nous ignorons l'identité. Tel père, tel fils ? »

Outrée, Annabelle manqua de s'étouffer. *Prendre du bon temps ?* Furieuse, la jeune femme sortit tous les exemplaires du magazine de leur présentoir.

* * *

Clay jouait avec le tuner de la radio, cherchant autre chose qu'une chanson d'amour mielleuse à écouter, mais apparemment les ondes d'Atlanta s'étaient donné le mot, chaque station diffusant tous les airs les plus romantiques qui pouvaient exister sur cette planète. Irrité, il éteignit la radio et ouvrit la portière. N'ayant pourtant jamais été claustrophobe, les espaces confinés lui donnaient subitement l'impression d'étouffer. Il claqua la portière derrière lui et s'adossa au métal chaud de son pick-up, les yeux rivés sur la sortie du supermarché, impatient d'en voir sortir sa… Bon sang ! Le soleil de juin lui tapait sur le système, lui assénant sans cesse une vérité assommante.

Il avait des sentiments pour Annabelle. Des sentiments forts et troublants. Des sentiments qui allaient plus loin qu'un simple désir d'elle, un attachement qui avait pris forme de lui-même. Il ne parvenait pas à expliquer pourquoi ou comment cette fille arrivait à briser l'armure qu'il avait solidement bâtie autour de son cœur, mais le fait est qu'elle avait réussi. En réalité, il ne s'était même pas rendu compte à quel point il avait retenu ses émotions avant de la rencontrer. Il avait fréquenté beaucoup de femmes dans sa vie, mais il n'avait jamais été distrait au point d'en perdre sa concentration ou son appétit, surtout pour une femme avec qui il n'avait partagé que quelques baisers volés. Pourtant, étonnamment, il pensait à elle sans arrêt, il voulait la regarder, passer du temps avec elle, la toucher, même si ce n'était que pour lui tenir la main. Cette sensation confuse et irréelle pouvait-elle être de l'amour ?

Était-il en train de tomber amoureux de cette femme ?

Dans sa poche, son téléphone se mit à sonner, ce qui lui offrit une trêve dans le flot de ses pensées dérangeantes. Il constata que le nom d'Henri s'affichait à l'écran puis décrocha.

— Quoi de neuf, Henri ?

— J'ai des infos sur la jeune Coakley.

Clay essuya quelques gouttes de sueur sur son front. Quoi qu'ait découvert le détective, il ne voulait pas le savoir maintenant. Annabelle et sa mère allaient rentrer à Detroit. Les préparatifs du mariage étaient repoussés aux calendes grecques, et son père, toujours aussi impatient, trouverait sûrement une diversion avant que Belle revienne. Annabelle lui avait dit qu'elle ne convoitait pas l'argent de son père, qu'elle voulait empêcher ce mariage tout autant que lui, et il l'avait crue… n'est-ce pas ?

— Clay, vous êtes là ?

— Oui, je suis là, répondit-il, tendu, les yeux toujours rivés sur la sortie, attendant de voir Annabelle réapparaître.

— Alors, ce scoop vous intéresse ou pas ?

Clay tenta de décrypter le ton de son interlocuteur. Il devait avoir trouvé quelque chose de compromettant, sans quoi il lui aurait simplement dit qu'il n'y avait rien à signaler, n'est-ce pas ? Et avant qu'il ne déclare sa flamme à cette jeune femme, n'était-il pas de son devoir de débusquer les secrets qu'elle pourrait avoir ?

— Eh, Clay, vous êtes là ?

— Oui, je suis là, aboya le jeune homme. Qu'avez-vous trouvé ?

— Rien de bien méchant.

Clay poussa un soupir de soulagement.

— À part deux ou trois choses, poursuivit le détective, ce qui fit accélérer les battements du cœur de Clay. Elle a hérité de dix mille dollars il y a deux ans, quand son père est décédé, mais je n'ai pas réussi à voir où cet argent était passé – probablement dans ses études. J'ai vérifié les informations que vous m'aviez fournies sur son achat d'une maison et j'ai trouvé un exemplaire du papier où elle indique d'où proviennent les trente mille dollars d'acompte qu'elle a réglés.

Le cœur de Clay se serra.

— Je vous écoute.

— Elle a nommé un type du nom de Dominique Horsh. J'ai fait quelques recherches et cet homme a soixante-quatorze ans, divorcé deux fois, connu quelques faillites, mais le café dont il est propriétaire actuellement a l'air de bien marcher.

La gorge du jeune homme se serra. *Dom.*

— Est-ce qu'ils ont une liaison ?

— Difficile à dire, grogna Henri. C'est cette Coakley qui s'est chargée de son dernier divorce, et ils habitent dans le même quartier. Selon une serveuse du café, elle y va très souvent. Si vous me laissez plus de temps, je pourrai préciser leur relation. Mais si j'en crois les deux actes de mariage de son dossier, on dirait que Horsh a un faible pour les femmes plus jeunes que lui.

— Ou peut-être que ce sont elles qui ont un faible pour lui, marmonna Clay.

— Ouaip.

Les idées se bousculaient dans sa tête tandis qu'il assimilait l'information. Un homme âgé qui avait une préférence pour les femmes jeunes, divorcé deux fois, ayant déjà déposé le bilan à deux reprises, client d'Annabelle, lui avait donné trente mille dollars pour qu'elle règle l'acompte de sa maison. Il faudrait être aveugle pour ne pas voir qu'elle était en train de plumer ce Horsh.

Ce qui signifiait sans doute que, avec sa mère, elle avait prévu d'escroquer son père de la même façon. Est-ce qu'en repoussant le mariage elle avait voulu user d'un stratagème pour… quoi ? Pour décupler la détermination de son père ? Pour manipuler les sentiments de Martin au point qu'il en oublierait cette histoire de contrat de mariage ?

Clay déglutit. Pour le prendre par les sentiments lui aussi ?

Il interrompit le flot de ses pensées en voyant Annabelle, les cheveux volant sous l'effet d'une brise estivale, le chercher des yeux. Malgré cette nouvelle désagréable concernant ses manigances à Detroit, il ne pouvait empêcher son corps de réagir chaque fois qu'il la voyait. Tout en lui criait que ses soupçons étaient infondés, et même qu'Henri devait se tromper, que cette incroyable magie qui s'était installée entre eux était un phénomène naturel et non le résultat d'une ruse de la jeune femme.

— Clay ? l'interpella Henri.

Le jeune homme sortit de ses pensées, mais gardait les yeux rivés sur Annabelle.

— Rien d'autre ? demanda-t-il brusquement.

— Je vais continuer à fouiller si vous voulez en savoir plus.

— Ça va aller, articula Clay à grand-peine. Envoyez-moi votre facture.

Il raccrocha et la regarda s'avancer vers lui d'un pas souple. Ses mouvements avaient la grâce de ceux d'une danseuse… d'une séductrice. Clay serra les dents.

Continuer à fouiller ? Il en savait déjà tellement plus qu'il n'aurait voulu.

Chapitre 15

Aussi forte que soit son envie d'agiter la photo aperçue dans le tabloïd sous le nez de Clay, Annabelle hésita, car une part d'elle-même souhaitait prolonger le soupçon de magie qu'ils avaient partagé quelques instants plus tôt sur son terrain. Déraisonnable ? Absolument. L'avocate en elle reconnaissait la folie totale de ses émotions, mais elle ne pouvait faire cesser ses fantasmes, pas quand Clay l'attendait debout près de son pick-up, bras croisés, trop beau pour elle. Elle plissa les yeux.

Mis à part cet air soucieux qu'il arborait. Décidément, cet homme était d'humeur changeante.

Sans un mot, il s'empara du sac de provisions et contourna le véhicule pour l'aider à monter. Ses mains s'attardèrent autour de la taille de la jeune femme un tantinet plus longtemps que nécessaire, mais, dépassée par le désir qu'elle lisait dans ses yeux et celui qu'elle ressentait à son contact, elle n'arrivait pas à décrypter son expression. Tendu ? En colère ?

Elle observa ses épaules tandis qu'il regagnait son siège. Regrettait-il leur escapade à ce point ? Se sentait-il lui aussi coupable de se laisser aller à son attirance alors qu'en même temps ils essayaient de briser le couple de leurs parents ? Elle s'humecta les lèvres, se remémorant avec nostalgie les délicieuses sensations provoquées par les baisers de Clay, quand elle avait senti ses mains et sa bouche caresser ses parties les plus intimes.

Il posa le sac sur le siège qui les séparait, puis claqua la portière un peu trop fort. Annabelle était mal à l'aise. Il mit le contact, puis hocha la tête en voyant un journal dépasser du sac.

— Je n'aurais jamais cru que vous étiez du genre à lire les tabloïds.

Toujours étonnée par son attitude, elle fit la moue.

— Dedans, il y a une photo de nos parents en train de s'embrasser.

— Où ça ? demanda-t-il en fronçant les sourcils.

— Sur la bouche ! rétorqua Annabelle.

— Je veux dire où la photo a-t-elle été prise ?

— Oh. C'était lors de notre randonnée de l'autre jour. Je n'ai pas vu le photographe, et vous ?

Il jeta un coup d'œil dans sa direction avant d'accélérer pour s'engager sur la chaussée.

— La seule personne que j'ai vue prendre des photos ce jour-là, c'est vous.

Annabelle manqua de s'étouffer.

— Pour quelle raison prendrais-je une photo pour la remettre à un torchon de ce genre ?

— Pour alimenter le mythe selon lequel vous êtes contre ce mariage, déclara-t-il en haussant un sourcil brun.

— Quoi ? s'étonna Annabelle en portant une main à sa tempe. Est-ce que j'ai raté un épisode ?

— Oui, riposta-t-il calmement, posant brièvement les yeux sur elle avant de se concentrer sur la route. Je viens de recevoir un coup de fil.

— De la part de qui ? s'enquit-elle, confuse.

— De quelqu'un qui sait ce que vous êtes en train de faire à Dominique Horsh, affirma-t-il sèchement.

Annabelle se sentit gagnée par une vague de panique et le rouge lui monta aux joues.

— Qui ça ? Et qu'est-ce que mon amitié avec Dominique Horsh peut bien avoir à faire avec tout ça ?

Toute la colère du jeune homme semblait emplir l'atmosphère confinée de la voiture.

— Le fait que vous ayez extorqué trente mille dollars à un vieil homme afin d'acheter une maison me semble assez pertinent dans notre contexte.

— Quoi ? s'exclama Annabelle, incrédule.

— Inutile de faire semblant, madame l'avocate, intima-t-il en levant une main. Vous vous êtes chargée du deuxième divorce de cet homme, et il est plus ou moins sur la paille, mais vous avez tout de même réussi à lui soutirer l'argent dont vous aviez besoin. Et j'imagine que c'est ce même Dom auquel vous êtes soi-disant fiancée.

Interdite, Annabelle ne pouvait que secouer la tête. Comment pouvait-il savoir tout cela sur elle et son ami Dominique ? Tout à coup, la réponse accablante s'imposa à son esprit.

— Vous avez embauché quelqu'un pour enquêter sur ma vie privée ?

— Il était de mon devoir de protéger mon père.

Elle sentit son cœur se serrer, gagnée par une déception profonde. C'était comme si un rideau de fer s'était abattu entre eux. Quelle idiote elle avait pu être ! Clay ne se souciait pas d'elle ; tout ce qui l'intéressait, c'était de préserver l'intégrité de la famille Castleberry. Pourquoi lui offrir une explication alors qu'il était déterminé à imaginer le pire sur son compte ? Cette prise de conscience la blessait profondément, mais au moins elle savait à quoi s'en tenir.

Elle se sentit abasourdie, mais refusa de céder aux larmes. Annabelle détourna la tête pour regarder par la fenêtre. S'attacher à quelqu'un a certaines conséquences. Pourquoi n'avait-elle pas écouté son instinct ? Et Clay. Après tout, il avait clairement exprimé ce qu'il pensait des relations sur le long terme. « Je n'ai jamais cru aux heureux dénouements. »

Mais pourquoi cela la gênait-elle tant qu'il ne lui fasse pas confiance ? Qu'il échafaude les pires hypothèses à son sujet ? Ce n'est pas comme s'ils avaient prévu de vivre heureux ensemble pour le restant de leurs jours. Elle avait eu raison de venir à Atlanta au secours de sa mère, et plus vite Belle et elle se trouveraient loin des Castleberry, mieux ce serait.

— Et vous n'avez rien à répondre ? lança-t-il d'une voix tendue.

La poitrine d'Annabelle brûlait de colère et d'humiliation. Elle se tourna vers son profil arrogant.

— Si. Je ne m'étais pas trompée sur vous lors de notre première rencontre. Vous êtes odieux.

Elle cligna rapidement des yeux – non, il était hors de question qu'elle se mette à pleurer.

Il émit un gloussement dénué d'humour.

— Vous êtes furieuse parce que je vous ai percée à jour, mademoiselle Coakley, déclara-t-il d'une voix basse, sur le ton de la réprimande.

Annabelle avait de plus en plus de mal à retenir ses larmes. Elle se mordit la langue.

— N'est-ce pas ? la houspilla-t-il.

Et dire qu'elle avait commencé à croire qu'ils partageaient une sorte de lien affectif et charnel…

— Pensez ce que vous voulez, riposta-t-elle, la bouche pâteuse.

Clay serra les dents, relâcha la pression, puis contracta de nouveau sa mâchoire.

— Ne faites pas comme si vous ignoriez que mon père venait de toucher une grosse somme d'argent.

Annabelle tenta de déglutir pour faire passer la boule qui s'était logée dans sa gorge.

— Je le savais. Mais s'il n'y avait que l'argent qui comptait pour moi, vous ne croyez pas que j'aurais empoché votre pot-de-vin ? demanda-t-elle en essayant tant bien que mal de garder une voix égale.

Le point positif, c'était qu'ils étaient presque arrivés.

— Pas si vous pensiez qu'il y avait plus à gagner en passant par ce fameux mariage, objecta-t-il en ralentissant pour se diriger vers le quartier de la mère d'Annabelle.

— Si c'était le cas, reprit-elle, luttant pour garder son calme, alors pourquoi aurais-je lancé la dispute qui les a poussés à annuler ?

— Peut-être que vous essayez de nous épuiser, Martin et moi, pour qu'on oublie cette histoire de contrat de mariage.

Elle plissa les yeux.

— Votre père et vous ?

Il ralentit pour s'engager dans la rue de Belle.

— En tout cas, il faut que je vous félicite pour le travail d'équipe, affirma-t-il, d'une voix pleine de sarcasme. Vous avez orchestré les hauts, les bas, le coup du flirt…

— *Le coup du flirt ?* répéta Annabelle, incrédule, en s'approchant de la portière pour s'éloigner de lui autant que possible.

Tout ce qu'elle voulait, c'était échapper à sa présence. Immédiatement.

Il tapa du pouce sur le volant.

— Vous avez presque réussi à me faire croire que vous étiez honnête, que vous n'étiez pas en train d'essayer de plumer mon père.

La douleur de la jeune femme céda la place à une colère noire.

— Comment osez-vous ?! se récria-t-elle d'une voix tremblante, risquant dangereusement de craquer.

Rien de ce que vous ou votre père pouvez avoir ne nous intéresse, ma mère et moi, de près ou de loin.

Il freina et fit un geste vers la maison de Belle.

— Pas même une Jaguar blanche décapotable, intérieur cuir rouge ?

Elle suivit son regard, puis ouvrit la portière et sauta à terre.

— Maman ?

Belle et Martin étaient installés dans la rutilante décapotable devant chez elle, des flûtes de champagne à la main. Un gros nœud doré ornait la capote. Sa mère leva les yeux et émit un cri enthousiaste en les voyant. Avec un geste de la main, elle cria :

— Regarde ce que Martin m'a acheté, ma chérie ! N'est-ce pas adorable ?

Annabelle n'en croyait pas ses yeux, et ressentit une déception encore plus intense. La berline verte d'occasion qu'elle comptait faire livrer à Belle ferait pâle figure en comparaison. Pire, elle sentait la présence hautaine et moqueuse de Clay, même s'il se trouvait de l'autre côté du pick-up. Le somptueux cadeau de Martin ne ferait qu'attiser les soupçons du jeune homme. Mais ce qu'Annabelle regretta le plus, ce fut la joie indéniable qui se lisait sur le visage de Belle du fait de cette réconciliation. Sa mère était véritablement, follement et irrévocablement amoureuse.

L'espace d'une nanoseconde, Annabelle l'envia.

— Maman, dit-elle en avançant sur des jambes en coton. Qu'est-ce qui se passe ?

— C'est reparti pour le mariage ! s'exclama Belle dans un grand sourire. Demain matin à la chapelle, il n'y aura que nous quatre !

* * *

Clay parcourut la scène du regard et ferma les yeux pour compter jusqu'à dix. C'était exactement ce qu'il craignait et son père venait de retomber entre les griffes des Coakley. Il était d'autant plus en colère qu'il se rendait compte que lui-même avait failli y croire… espérer… *Bon sang!*

— Papa, lança-t-il en s'approchant du couple à grandes enjambées, il faut qu'on parle.

— Pas maintenant, mon fils, répliqua Martin, le congédiant d'un revers de main.

— Si, maintenant.

— Clay, te voilà bien malpoli, le réprimanda Martin.

— Et toi, te voilà bien attrapé, répliqua le jeune homme en désignant les deux femmes. Henri a vérifié leurs antécédents, et il faut que tu saches ce qu'il a trouvé.

Belle lança un regard à son père.

— Martin, de quoi s'agit-il ?

— Clay…, commença Martin dont les joues virèrent au rouge pivoine.

— Écoute-moi simplement, demanda Clay en levant une main.

Tout à coup, il ne supportait plus de poser les yeux sur la jeune femme manipulatrice qui avait si aisément échappé à sa vigilance.

— Annabelle a récemment reçu trente mille dollars de son fiancé de soixante-dix ans à Detroit, un homme du nom de Dominique Horsh.

— Quoi ? s'étonna Belle en manquant de s'étouffer. Annabelle, de quoi parle-t-il ?

La jeune femme garda le silence un long moment et Clay finit par se retourner pour la regarder. Il ne fut en rien rassuré par ce qu'il vit. Elle avait croisé les bras sur son ventre et semblait très fatiguée.

— Monsieur Castleberry, déclara-t-elle d'une voix dénuée d'émotion. Vous avez apparemment mal interprété les informations que votre détective privé a dénichées sur moi. Dominique Horsh est le père de mon assistante et amie, Domino. Ou Dom, comme j'ai l'habitude de l'appeler.

Dom. Le cerveau de Clay commença à se mettre en état d'alerte, comme la fois où il l'avait confondue avec la fiancée de Martin.

— Alors pourquoi son père vous donnerait-il trente mille dollars ? s'enquit-il d'un air suffisant.

Elle pinça les lèvres quelques secondes puis poussa un soupir.

— Parce que je lui ai prêté dix mille dollars il y a deux ans pour qu'il puisse monter son affaire.

— Ton héritage ? s'étonna Belle.

La jeune femme acquiesça.

— Mais c'était très risqué !

— J'ai pensé que c'était un bon investissement, indiqua Annabelle dans un sourire désemparé. Et ça a été le cas. J'ai gagné trois fois ma mise.

— Pourquoi ne m'en as-tu jamais parlé ? s'enquit sa mère.

— Parce que je savais que tu te ferais du souci.

— Mais… et cette histoire de fiancé ? demanda Belle.

Clay ébaucha une moue victorieuse. Il la tenait à présent.

Annabelle haussa les épaules et s'éclaircit la voix avant de répondre :

— Il n'y a pas de fiancé.

Belle et Martin tournèrent leurs regards vers Clay.

— Et la bague ? s'enquit celui-ci en désignant le diamant carré qu'elle portait au doigt.

— C'est la bague que le père d'Annabelle m'a donnée, intervint Belle. Je la lui ai offerte à son arrivée.

Clay regarda Annabelle.

— Mais vous m'avez dit…

— Non, je n'ai rien dit. Vous avez tiré des conclusions hâtives et je me suis contentée de vous laisser y croire.

Clay sentit sa nuque chauffer.

— Mais vous étiez chez le bijoutier pour essayer de savoir combien valait la bague que papa avait offerte à Belle…

Les regards de leurs parents se posèrent sur Annabelle.

— Oui, parce que j'ai pensé que c'était peut-être du toc, expliqua-t-elle dans un soupir. Et je pensais que si maman apprenait que c'était un faux, elle saurait qu'elle ne pouvait pas faire confiance à votre père.

— Du toc ? s'étonna Belle en fixant sa bague.

— Ce n'en est pas, précisa Annabelle en se rapprochant de sa mère qui était assise sur le siège passager. En réalité, le joaillier a dit qu'elle était d'une qualité exceptionnelle.

La jeune femme regarda Martin et dit :

— Je suis désolée, monsieur. Je me suis trompée sur votre compte.

Puis elle se tourna vers Clay, qui craignait le pire.

— Même si je ne me suis apparemment pas trompée sur votre fils, ajouta-t-elle.

Les yeux de Clay étaient rivés à ses prunelles dorées ; en l'espace de deux secondes, il y vit l'éclat de ce qui aurait pu se passer entre eux diminuer avant de disparaître totalement. Il voulut dire quelque chose, mais ses mâchoires semblaient scellées, sa langue collée à son palais. Elle détourna le regard, puis lança un sourire doux-amer à leurs parents avant de tapoter la main de sa mère.

— Tout ce que je veux, c'est que tu sois heureuse, et je constate que tu l'es.

— Oui, ma chérie, je le suis.

— Dans ce cas, tu as ma bénédiction, déclara Annabelle en esquissant un sourire.

— Merci, ma chérie, dit Belle, les larmes aux yeux.

— Je vais annuler ton billet pour Detroit.

— Tu ne veux pas rester quelques jours de plus ? demanda sa mère.

— Il faut que je retourne au bureau après la cérémonie. Dom – enfin je veux dire Domino – m'attend.

Clay se sentait bouleversé, mais un mouvement dans la rue attira son attention. Un vieux modèle de berline venait de s'engager dans l'allée, suivi d'une voiture plus récente affichant l'enseigne d'un concessionnaire automobile.

Un homme descendit de la berline verte.

— Je suis bien chez les Coakley ?

— Oui, répondit Belle, l'air abasourdie.

— J'ai une livraison pour Belle Coakley.

— C'est la voiture que nous avons essayée au garage, constata Belle en regardant Annabelle.

La jeune femme acquiesça, la mine désabusée.

— Je l'ai achetée pour toi, maman. Je ne savais pas que…, dit-elle en désignant la Jaguar d'un geste d'impuissance. Ce n'est vraiment rien comparé au cadeau de Martin.

Clay ferma les yeux. Voilà qui expliquait pourquoi les deux femmes avaient essayé des voitures de luxe. Henri avait oublié de lui préciser qu'il s'agissait de modèles d'occasion, à des prix certainement accessibles. Ou peut-être qu'Henri le lui avait indiqué et qu'il n'avait tout simplement pas entendu.

— Ne dis pas n'importe quoi, je l'adore, affirma Belle en tendant son verre au père de Clay pour sortir de la décapotable.

— Ne t'en fais pas, maman. Le concessionnaire pourra me rembourser. En plus, j'aurais dû te demander ton avis.

Belle se mordit la lèvre inférieure, puis caressa le visage d'Annabelle.

— C'est adorable de ta part, ma chérie, mais je suis une grande fille et je peux gérer tout cela moi-même.

La jeune femme afficha un sourire navré.

— Je vais lui dire qu'on a changé d'avis, déclara-t-elle en s'avançant vers le livreur.

Le cœur de Clay se serra quand il vit Annabelle sourire au vendeur, et la façon dont ce dernier lui répondit. Il se pencha vers elle en acquiesçant. Et sa poignée de main dura bien trop longtemps. Clay avança d'un pas dans leur direction avant de reculer en se reprenant fermement. Qu'était-il en train de faire ?

— C'est réglé, déclara Annabelle à l'intention de sa mère tandis qu'elle remontait l'allée menant à la maison.

Elle embrassa rapidement Belle.

— Et maintenant, je n'ai plus qu'à m'occuper des billets d'avion.

Elle se tourna pour entrer dans la maison ; c'est à cet instant que Clay recouvra l'usage de sa voix.

— Annabelle, attendez.

Elle s'arrêta à quelques centimètres de la première marche, mais ne se retourna pas.

Clay la rejoignit, le cœur battant la chamade.

— Pourquoi…, commença-t-il en s'éclaircissant la voix et en posant la main sur son bras.

Sa peau était si douce, mais froide.

— Pourquoi m'avez-vous laissé croire que vous étiez fiancée ?

Une expression moqueuse se lisait dans les yeux de la jeune femme, qui semblait regarder par-dessus son épaule.

— Je pensais que vous me laisseriez tranquille si vous pensiez que j'étais fiancée, murmura-t-elle à son oreille.

Elle se libéra, puis grimpa les marches et disparut dans la maison de sa mère.

Les paroles de la jeune femme l'avaient bouleversé et il s'accrocha à la rambarde pour s'empêcher de lui courir après. Elle le trouvait donc si détestable que ça ? Pourquoi s'en souciait-il, de toute façon ? Clay serra les dents et se retourna dans un mouvement brusque pour faire face à deux regards accusateurs.

— Clay, tu as dépassé les limites, cette fois, déclara Martin en secouant la tête.

La colère et la culpabilité le submergèrent, lui faisant hausser le ton.

— Je faisais tout ça pour toi, papa.

Il s'accrochait obstinément à son argument initial, blessé dans sa fierté que Martin ne se rende pas compte des sacrifices qu'il avait faits pour lui éviter une nouvelle catastrophe.

— Peut-être, répliqua son père en sortant de la voiture et en refermant doucement la portière.

Dieu sait si j'ai fait des erreurs en choisissant mes compagnes, mais il est évident pour moi, et ce devrait l'être pour toi aussi, que j'ai une chance inouïe que Belle veuille bien de moi, déclara-t-il en lançant un sourire affectueux à la principale intéressée, avant de revenir sur son fils, une expression plus dure sur le visage. Mais franchement, mon garçon, j'ai parfois l'impression que tu te mêles de mes affaires pour éviter de faire face à ton propre malheur.

Clay releva le menton en entendant le discours absurde de son père.

—Ma vie est très bien comme elle est, affirma-t-il entre ses dents. Le fait que tu essaies de mettre cette situation sur mon dos prouve bien que tu es en train de commettre une autre erreur.

En réalité, Annabelle et sa mère avaient très bien pu concocter cette petite scène au cas où ils découvriraient le pot aux roses. Clay se sentit gagné par une vague de désespoir. Au fond de lui, il avait conscience que son idée était saugrenue. Mais si Annabelle n'était pas la croqueuse de diamants froide et égoïste qu'il avait imaginée, cela voulait dire que c'était une fille intelligente, affectueuse et attentionnée. Et il n'était pas prêt à admettre qu'il s'était si lamentablement trompé sur ses intentions. Son cœur. Et ses baisers.

Son père parut triste.

—Je suis désolé que tu voies les choses de cet œil-là, mon fils. Parce que, Belle et moi, nous voudrions aussi avoir ta bénédiction.

Clay se redressa, désireux de s'éloigner de toute cette histoire chaotique et compliquée. De laisser Martin se débrouiller – il avait eu son compte.

— Je vais rentrer à Paris aussi rapidement que possible, déclara-t-il sur un ton saccadé.

Clay retourna à son pick-up, déterminé à courir plus vite que le doute féroce qui semblait lui coller aux basques.

Chapitre 16

L'humeur massacrante de Clay le poursuivit jusque dans l'allée de son immeuble. Même la vue des murs fraîchement peints en blanc ne lui remonta pas le moral. Ces lieux semblaient froids et stériles, les meubles formels et dépourvus de chaleur. Il parcourut le vaste cinq pièces, arrosant les plantes jusqu'ici négligées et ouvrant les rideaux pour que l'appartement tout entier baigne dans la lumière.

Paradoxalement, tout cet ameublement que le décorateur avait choisi avec soin pour faire de cet endroit son nid douillet semblait donner exactement le résultat inverse. Les fauteuils en cuir, les tables en granit, les statues en étain – il aurait très bien pu se trouver dans une maison témoin. Pas de souvenirs de famille ici, pas de vieilleries ou de bibelots sentimentaux. Pas de photos, à l'exception de celle de sa mère dans un cadre argenté posé sur la console du couloir – une de ses rares contributions personnelles à la décoration. Cet endroit dépouillé n'était pas un nid douillet, mais plutôt les quartiers d'un perpétuel invité.

S'autorisant une grimace, Clay parcourut son courrier – aucun pli personnel – et alluma son ordinateur portable dans une vaine tentative de s'absorber dans son travail. Faisant défiler une série de messages électroniques urgents provenant de clients impatients, il se faisait les pires reproches. Si seulement il était resté à Paris, il aurait pu conclure un marché d'investissement, voire deux. Mais plus important encore, il n'aurait jamais fait la connaissance d'Annabelle Coakley.

L'image de la jeune femme s'imposa à son esprit, avec ses yeux de tigresse, ses taches de rousseur sur le nez et ses fossettes. Et ses baisers fougueux qui laissaient entrevoir des plaisirs qu'il ne goûterait jamais. Ce joli minois qui le hantait, qui pouvait être tour à tour doux et vulnérable ou rouge de colère. Une avocate qui travaillait des heures durant pour un salaire de misère et bien peu de considération. Une fille aimante à qui son père manquait et qui semblait vouloir tout faire pour protéger sa mère. Il l'avait prise pour une petite écervelée, et elle lui avait finalement causé plus de chagrin qu'il n'avait souhaité lui en faire subir. Ou plutôt il avait lui-même suscité ce chagrin en profitant de chaque occasion qu'il avait eue de croiser son chemin.

Il avait songé à appeler Henri pour vérifier l'explication d'Annabelle sur sa relation avec le vieil homme de Detroit et leur transaction financière. Mais là, avec du recul, il savait au plus profond de lui que la jeune femme disait vrai. Il avait été profondément blessé en voyant l'éclat de son regard quand elle lui avait dit : « Je pensais que vous me laisseriez tranquille si vous pensiez que j'étais fiancée. »

Était-il monstrueux à ce point ? Clay s'enfonça dans sa chaise et se frotta les yeux avec le pouce et l'index. Vu la façon dont il l'avait accueillie, en lui proposant une somme d'argent pour disparaître, celle dont il l'avait embrassée sans ménagement, il ne pouvait pas lui en vouloir. Elle était venue à Atlanta en s'imaginant le pire au sujet des Castleberry et le comportement de Clay n'avait fait que la conforter dans son opinion. Même si leurs baisers suivants furent administrés avec moins de brutalité, elle avait toujours maintenu une certaine distance entre eux. Elle avait peut-être supporté – voire apprécié – ses baisers, mais elle ne lui faisait pas confiance et n'avait aucun respect pour lui.

Elle ne l'appréciait même pas, et ne pouvait par conséquent pas l'aimer.

Ce dernier verbe le fit grimacer, lui qui avait occupé ses pensées pendant des heures. Ces sentiments absurdes… De la culpabilité ? Bien sûr. Des remords ? Peut-être. Mais de l'amour ?

« Franchement, mon garçon, j'ai parfois l'impression que tu te mêles de mes affaires pour éviter de faire face à ton propre malheur. »

Absurde. Il était parfaitement heureux. Parfaitement. Le jeune homme s'éloigna de son bureau et se dirigea vers la cuisine pour y prendre une bouteille de bière. Puis quelque chose l'attira dans le couloir où la photo de sa mère l'attendait, avec un sourire digne de la star de cinéma qu'elle avait été.

Que savait-il de l'amour en dehors des souvenirs lointains de sa mère ? Il s'empara de sa photo et étudia son regard, espérant accéder à quelque sagesse du cœur et de l'esprit.

— Elle te plairait, maman. Elle est intelligente, jolie et je ne l'impressionne pas le moins du monde, comme c'était le cas pour papa et toi.

Sa mère souriait et il l'imaginait sans peine en train d'acquiescer.

— Comment savoir si je l'aime ? murmura-t-il.

Elle souriait toujours et, tout à coup, il se souvint des paroles de sa mère un soir où elle était venue le border. Elle était drapée d'une robe de chambre aux reflets d'argent, ses cheveux tombant en cascade autour de son doux visage.

— Je t'aime, Clay, lui avait-elle dit, assise au bord de son lit.

Ces paroles l'avaient empli de joie et il avait voulu prolonger ce moment.

— Pourquoi est-ce que tu m'aimes, maman ?

— Parce que, avait-elle répondu en se penchant pour frotter son nez contre le sien, ton cœur parle au mien.

Clay ferma les yeux et se mordit la lèvre. Le cœur d'Annabelle parlait-il au sien ? Il laissa échapper un rire amer. Vu la façon dont il l'avait traitée, la seule chose que le cœur de la jeune femme pouvait faire, c'était lui adresser un chapelet d'injures. Il n'avait aucun point de comparaison permettant d'expliquer ces sentiments aussi délicats qu'obsédants, mais il savait que, au beau milieu, il y avait une part de culpabilité et une bonne dose de désir.

Il porta la bouteille de bière à ses lèvres. Mais aimer ?

Non, pas lui. En plus, il venait de mettre en péril un marché non négligeable pour convaincre son père que ce mariage n'était qu'une mascarade. Quel genre d'idiot fallait-il être pour arriver à tomber amoureux tout en essayant d'empêcher le mariage de son père ?

Un bel idiot. Et il n'avait pas bâti sa carrière ou sa réputation en se comportant comme un imbécile de première. Il avala une gorgée du breuvage doux-amer. Non, il n'était certainement pas amoureux.

— Je ne suis pas amoureux, énonça-t-il à haute voix pour s'en convaincre.

Sa mère souriait.

— Je ne le suis pas, reprit-il avec plus de véhémence. Pour le prouver, je vais appeler la compagnie aérienne sur-le-champ. Quand ce mariage de pacotille aura lieu, je serai à Paris, loin d'Annabelle Coakley.

Il ne pouvait en être certain, mais, l'espace d'une seconde, il crut que le sourire de sa mère s'estompait.

* * *

— Alors, c'est reparti pour le mariage ? s'enquit Domino.

— Oui, demain.

— Tu as l'air résignée.

— Je le suis, soupira Annabelle. Et tout se passera bien pour maman – j'imagine que j'avais sous-estimé son discernement.

Elle-même en avait sans doute manqué.

— Je n'arrive pas à croire que le fils se soit montré aussi grossier.

— Ouais.

Le cœur d'Annabelle se serra quand elle repensa à son expression, quand il l'avait accusée d'avoir essayé de les arnaquer son père et lui, insinuant qu'elle s'était rapprochée de lui dans le simple but qu'il baisse sa garde. Il n'avait aucune idée de ce que ces baisers, moments intimes et révélations personnelles lui avaient coûté. Ne conseillait-elle pas au quotidien à ses clientes de ne pas se laisser submerger par leurs émotions ? Quel genre de modèle était-elle devenue ?

— Annabelle ?

Elle se reprit pour se concentrer sur la conversation téléphonique.

— Euh… oui, tu disais ?

— Ne te laisse pas abattre. Après tout, tu te moques de ce qu'il peut penser de toi, pas vrai ?

Annabelle se mordit la lèvre inférieure. Dom enfonçait le clou – ce qui la gênait, ce n'était pas tant le fait que Clay ait vérifié ses antécédents qu'il ait tiré les pires conclusions des preuves qu'il avait trouvées. Bien sûr, elle avait eu beaucoup d'*a priori* négatifs à son sujet quand ils s'étaient rencontrés, mais au fil du temps son opinion avait évolué, à mesure qu'elle avait appris à le connaître. En réalité, elle s'était même imaginé qu'elle tombait amoureuse de lui, avait cru qu'un lien singulier avait pu naître entre eux. Quelle plaisanterie ! Surtout que lui, de son côté, n'avait pas l'air d'avoir changé d'avis. L'idée qu'il avait failli lui faire l'amour l'après-midi sur son terrain malgré la piètre opinion qu'il avait d'elle la révulsait. Et le fait qu'elle aurait pu le laisser faire la rendait décidément malade.

— Pas vrai, Annabelle ?

— Tout à fait d'accord.

— Est-ce que ça va ? Tu as l'air bizarre.

— Je vais bien. Je t'appelle quand j'arrive.

— OK, acquiesça Dom, l'air quelque peu hésitante. Je suis désolée de t'avoir taquinée en t'accusant d'être tombée amoureuse de ce type. J'imagine que je m'étais trompée à son sujet.

— En ce moment, c'est monnaie courante, on dirait.

Son amie observa une pause.

— As-tu quelque chose à m'avouer, patronne ?

Cette fille avait décidément un sixième sens.

— Non, rien du tout. À plus tard, conclut Annabelle avant de raccrocher.

Puis, cédant à une impulsion, elle afficha la photo qu'elle avait prise de Clay le jour de la randonnée. Il était adossé contre un rocher et avait l'air surpris. Cette photo lui paraissait d'autant plus précieuse que cet homme n'avait pas l'habitude de se faire surprendre. L'espace d'une fraction de seconde, Clay Castleberry avait eu l'air… vulnérable. Accessible. Toutefois, après coup, elle se rendit compte que cette expression n'était peut-être due qu'à un jeu de lumière.

Débordant de tristesse, de colère et de regret, elle laissa son doigt planer au-dessus du bouton « Supprimer ». Mais, à la dernière seconde, elle ne put s'y résoudre – ce qui la contraria encore plus.

La pièce baignait dans le clair de lune. Une fenêtre ouverte laissait pénétrer les bruits étouffés de cette nuit d'été – les grillons, les oiseaux de nuit et le vrombissement occasionnel d'une voiture. Le son du moteur d'un avion retentit au loin et elle se demanda si Clay avait déjà décollé. C'était probable, vu comme il était parti sur les chapeaux de roue. Et c'était tant mieux. Annabelle poussa un soupir, s'étira sur son lit d'ado et serra un oreiller contre sa poitrine.

Elle avait toutes les raisons d'être heureuse. Après tout, Belle allait épouser un homme qui tenait à elle. Quand elle rentrerait à Detroit, elle n'aurait plus à se soucier de la solitude ou de la sécurité de sa mère. Elle était convaincue que Belle avait trouvé l'élu de son cœur. Même si ce second mariage n'aurait rien à voir avec le premier, elle avait le droit de changer et d'évoluer en tant que femme.

Après tout, songea-t-elle tristement, *toutes les femmes évoluent*. Elle s'efforça de fermer les paupières. N'avait-elle pas évolué elle-même ? N'était-elle pas arrivée à Atlanta dans l'espoir de susciter une dispute ?

N'avait-elle pas été incapable de croire que sa mère pouvait tomber amoureuse en si peu de temps ? Et voilà que tout s'était retourné contre elle – son cœur avait chaviré en quelques jours pour un homme qui n'était pas loin de la mépriser. Oh, il lui avait bien volé deux ou trois baisers dans les moments les plus intenses, mais dans le seul but de lui prouver qu'il était capable de la dominer. Une larme coula le long de sa joue. Il devait jubiler en ce moment. Assis dans un siège de classe affaires du vol à destination de Paris, souriant en songeant à quel point il avait été facile de la manipuler et de lui faire accepter – voire désirer – ses caresses.

Au moins sa mère était-elle tombée amoureuse d'un homme qui l'aimait en retour. De son côté, Annabelle s'était éprise d'un homme froid, cynique, calculateur et condescendant qui n'apprécierait ou n'accepterait jamais son amour. Clay Castleberry avait rendu les choses très claires : il ne s'intéressait pas le moins du monde à ses sentiments. Qu'il considérait comme infondés et indésirables.

Alors pourquoi ne l'avait-elle pas tout simplement effacé de son esprit si rationnel d'ordinaire ?

Quelques coups frappés à sa porte la firent se redresser. Elle frotta ses yeux humides.

— Oui ?

Le visage tendre de sa mère apparut dans l'embrasure.

— Annabelle, ma chérie, est-ce que tout va bien ?

— J'ai juste une migraine à cause de tout ce remue-ménage, j'imagine, expliqua-t-elle en se composant un sourire éclatant.

Belle s'avança pour s'asseoir au bord du lit, près de sa fille.

— Un remue-ménage, en effet. Je crois que je n'ai jamais subi autant de sueurs froides en un laps de temps si réduit, fit-elle remarquer.

— As-tu fini tes bagages ?

— Oui. J'ai surtout pris des shorts et des robes légères. À Hawaï, il va faire encore plus chaud qu'ici.

Le sourire de Belle agit comme un baume apaisant sur le cœur blessé d'Annabelle.

— Merci, ma chérie ! lança sa mère.

Étonnée, Annabelle demanda :

— Pour quoi ?

— Pour nous avoir accordé ta bénédiction aujourd'hui. Ce que je souhaite plus que tout au monde, c'est que tu sois heureuse pour moi.

— Je le suis, maman. Je crois que Martin et toi vivrez heureux.

— Même sans contrat de mariage ? s'enquit Belle en penchant la tête sur un côté.

— Même sans contrat de mariage…, confirma Annabelle dans un sourire.

Belle prit la main gauche de sa fille dans la sienne et considéra la bague de fiançailles qu'elle avait portée pendant trente ans.

— Je suis heureuse que tu aies changé d'avis au sujet de Martin, mais j'aimerais que tu réfléchisses aussi à l'idée de te marier un jour.

Annabelle se mordit la langue pour réprimer ses larmes d'auto-apitoiement. Aïe, aïe, aïe, si seulement sa mère savait ! Courir après un homme qui ne voyait en elle que la possibilité d'une liaison furtive.

— Maman, je n'y suis pas si opposée que ça, déclara-t-elle avec prudence. C'est juste que, contrairement à Martin et toi, je n'ai trouvé personne qui soit sur la même longueur d'onde que moi.

Sa mère s'éclaircit la voix.

— Aussi tiré par les cheveux que cela puisse paraître, Martin et moi espérions qu'une petite étincelle amoureuse pourrait naître entre Clay et toi.

Annabelle sentit sa gorge se serrer.

— Mais après son comportement odieux d'aujourd'hui, je vois que nous nous sommes trompés, poursuivit Belle en tapotant la main de sa fille. Martin est très en colère contre lui.

— Je ne tiens pas Martin pour responsable des actions de son fils, déclara Annabelle en secouant la tête. En réalité, poursuivit-elle, la voix enrouée, je suis aussi coupable que Clay. J'ai cherché moi aussi à empêcher ce mariage.

Belle gloussa.

— Au moins, tu as le mérite d'assumer tes erreurs. Clay semble enclin à imaginer le pire à ton sujet, et je n'apprécie pas les gens qui mésestiment ma petite fille chérie.

Une délicieuse sensation de réconfort enveloppa les épaules de la jeune femme, et elle se rendit compte à quel point il avait été ridicule d'imaginer qu'elle devait voler au secours de sa mère – Belle avait toujours été solide comme un roc, et toute leur famille s'était reposée sur elle. L'ironie de la requête de son père qui lui demandait de prendre soin d'elle montrait combien Belle avait réussi à leur faire croire qu'elle dépendait d'eux. Même Annabelle avait marché. Mais à cet instant, en voyant le regard bleu et sage de Belle, elle se rendit compte qu'elle aurait beaucoup de chance si elle pouvait se targuer un jour d'être aussi forte qu'elle et capable de donner autant d'amour.

— Je t'adore, maman, chuchota-t-elle.

Sa mère se pencha pour caresser le front de la jeune femme.

— Et moi donc ! répliqua-t-elle avant de se reculer pour lisser les cheveux d'Annabelle derrière ses oreilles. C'est si important pour moi que tu assistes demain à la cérémonie.

La jeune femme se sentit gagnée par les remords.

— Je suis heureuse que tu acceptes ma présence, après tous les soucis que j'ai causés.

— Chut, bien sûr que je veux que tu sois présente. Et Martin aussi, précisa Belle. Je pense que cela pourra l'aider à oublier que Clay a décidé de rentrer à Paris.

Annabelle détourna les yeux et se mordit la langue pour lutter contre la boule d'émotion qui s'était logée dans sa gorge.

— Ne t’en fais pas, ma chérie, tu ne reverras plus jamais ce jeune homme.

Belle venait d’énoncer une crainte qui planait dans son esprit depuis la dernière fois qu’elle avait vu Clay, au pied du perron. Elle pinça les lèvres, et ses mâchoires la firent souffrir tant elle serrait les dents, mais les larmes ruisselèrent malgré tout sur ses joues.

Sa mère écarquilla les yeux avant de scruter attentivement le visage de sa fille.

— Annabelle, je vois que cela va plus loin qu’une petite contrariété. Il y a autre chose, n’est-ce pas ?

La jeune femme acquiesça lamentablement.

Belle s’étira pour saisir un mouchoir en papier dans la boîte qui se trouvait sur la table de chevet, puis le lui tendit.

— Dis-moi tout, intima-t-elle.

Annabelle s’essuya les yeux, puis se moucha et prit une grande inspiration pour tout faire passer.

— Il n’y a rien à raconter, en vérité. J’ai mal interprété l’attention que me portait Clay.

— Son attention ? demanda sa mère en esquissant une moue. Je vois. Tu es amoureuse de lui ?

Annabelle haussa les épaules.

— Je crois que je suis tombée amoureuse de l’idée que je m’étais faite de lui. Le fait que ce soit un homme différent de tous ceux que j’avais pu rencontrer jusqu’ici m’y a peut-être aidée.

Belle s’éclaircit la voix discrètement.

— Est-ce qu’il… Est-ce que vous… ?

Annabelle haussa prestement les sourcils.

— Oh, non. Ce qui rend la situation encore plus déroutante, parce que nous avons passé très peu de temps ensemble. Mais j'ai pensé que j'apprenais à le connaître. J'ai pensé que…

Elle laissa échapper un petit rire d'autodérision.

— Il me semble évident qu'il n'était pas à ma portée, et moi pas dans mon état normal, ajouta la jeune femme.

— Je sais que tu souffres en ce moment, commença sa mère en inclinant la tête, mais quand on ouvre son cœur à quelqu'un, il n'y a aucune honte à avoir. Si Clay n'est pas sensible à tes sentiments, c'est lui qui y perd quelque chose.

— Tu ne m'as pas l'air tout à fait objective sur ce sujet, maman, objecta Annabelle.

— Je ne pense pas que tu devrais prendre l'attitude de Clay uniquement pour toi, ma chérie, déclara Belle en souriant. Martin m'a raconté qu'il avait toujours été assez difficile avec les femmes. Mais, si cela peut te consoler, Martin m'a aussi dit qu'en voyant la façon dont Clay te regardait il avait espéré qu'il puisse enfin s'engager avec quelqu'un.

La bouche d'Annabelle se tordit légèrement.

— Apparemment, il ne cherchait qu'à mesurer l'ampleur de ma faiblesse.

Belle tendit la main pour lui caresser la joue.

— Je suis heureuse de voir que tu as retrouvé ton sens de l'humour.

En vérité, elle se sentait légèrement mieux. Le fait de confesser son erreur de jugement sur Clay lui enlevait un certain poids. Elle s'adossa à la tête de lit et réprima un bâillement.

— Allez, au lit ! ordonna Belle, redevenant une mère à part entière tandis qu'elle se levait et disposait les couvertures sur le lit. Il est hors de question que ma demoiselle d'honneur pique du nez au beau milieu de la cérémonie demain.

Annabelle sourit à sa mère, savourant l'intimité de cet instant.

— Maman, pourquoi penses-tu que je sois tombée amoureuse de Clay, parmi tous les hommes existants, et pourquoi maintenant, surtout ?

Le regard de Belle papillota tandis qu'elle remontait les couvertures sous le menton de sa fille.

— C'est ce qu'il y a de plus mystérieux avec l'amour – ça peut vous tomber dessus n'importe quand, qu'on soit prêt ou pas.

Annabelle déglutit.

— Mais ça fait souffrir.

— C'est normal. Sinon, personne ne s'en rendrait jamais compte, expliqua Belle avant de se pencher pour embrasser sa fille. Mais demain est un autre jour.

— J'espère que ce sera une belle journée pour ton mariage.

— Ce le sera, quelle que soit la météo, affirma Belle dans un sourire.

Puis elle lui souhaita bonne nuit en chuchotant et regagna la porte sans un bruit.

Dans un élan d'admiration, Annabelle se demanda quand sa mère était devenue si sage en matière de peines de cœur.

— Merci de m'avoir écoutée, maman.

— De rien. Tâche de te reposer.

La porte se referma et la jeune femme commença à compter consciencieusement les moutons. Grâce à sa mère, elle n'aurait pas la mine défaite et de gros cernes sous les yeux le jour J, songea Annabelle en reniflant. En revanche, pour les jours suivants, elle ne pouvait rien promettre.

Chapitre 17

Bien sûr, c'était une belle journée, et Belle était une future mariée ravissante, vêtue de rose, des fleurs blanches dans les cheveux.

Martin était resplendissant dans son costume noir, et Annabelle se souvint du jour où elle avait vu Clay essayer une veste similaire. Le jour où il était intervenu pour la sauver d'une humiliation certaine et de problèmes professionnels indubitables. Le jour où elle avait commencé à le considérer d'un autre œil. En y repensant, toutefois, il avait certainement cru qu'elle était une voleuse, et n'avait agi que dans le but de tenir le nom de son père à l'abri d'un scandale. Elle se consumait de honte en songeant à la façon grossière dont elle s'était trompée sur quasiment tous les gestes du jeune homme. Elle s'efforça tant bien que mal de se concentrer sur le moment présent et afficha un grand sourire lorsque le prêtre appela l'assemblée à s'avancer dans l'église.

Elle donna un baiser rapide à sa mère et une accolade à Martin. Il lui lança un sourire désolé qui indiquait que Belle lui avait avoué les sentiments qu'elle éprouvait pour son fils. Le pauvre, son regard revenait sans cesse à la porte de l'église dans l'espoir, elle en était sûre, que Clay fasse son apparition.

Mais ce ne serait pas le cas.

Vu que l'assemblée n'était constituée que des futurs époux, du prêtre, de l'organiste, du photographe et d'Annabelle, on avait décidé de ne pas faire de marche nuptiale, mais la jeune femme fondit en larmes dès que la musique commença. Son cœur débordait d'amour pour sa mère, de tendres souvenirs de son père et d'espoir qu'un jour elle trouverait, elle aussi, quelqu'un avec qui partager sa vie. Qui aurait cru que son voyage à Atlanta susciterait une telle révélation en elle ? Le flot de larmes ne s'interrompit pas quand le prêtre prit la parole.

— Chers frères, chères sœurs, nous sommes réunis en ce jour béni pour assister à l'union de Martin Castleberry et de Belle Coakley. Le mariage est un sacrement dans lequel on ne s'engage pas à la légère. C'est le cœur plein de respect et d'amour qu'on se présente devant cette union.

Belle et Martin échangèrent un sourire et serrèrent leurs mains. Dans un élan de tendresse, Annabelle se dit que son père aurait approuvé ce mariage et serait heureux de savoir que Belle ne souffrait plus de solitude.

— Si quelqu'un a des raisons de s'opposer à cette union, qu'il parle maintenant ou se taise à jamais.

— Arrêtez ce mariage !

Annabelle se retourna, comme tout le reste de l'assemblée, au son de la voix tonitruante de Clay.

L'organiste écorcha sa mélodie de quelques fausses notes, puis le silence se fit autour d'eux.

Clay se tenait au fond de l'église, vêtu d'une tenue de voyage composée d'un pantalon et d'une chemise décontractés. Son visage était impassible. Le cœur d'Annabelle battait la chamade, puis elle lui en voulut de se permettre de gâcher cette journée pour son père en faisant une telle scène.

Le prêtre lui lança un regard par-dessus ses lunettes.

— Qui êtes-vous ?

— Le fils de monsieur, déclara Clay en s'avançant vers eux. Et je ne peux pas laisser ce mariage se dérouler en toute bonne conscience…

— Clay…, commença Martin.

— … sans accorder à mon père ma bénédiction.

La jeune femme prit une profonde inspiration face à cette agréable surprise.

Clay adressa un sourire désolé à Martin.

— Si tu veux bien l'accepter, bien entendu.

Le visage de Martin se fendit en un large sourire et il donna une tape sur l'épaule de son fils.

— Tu fais de moi un homme très heureux. Je suis content que tu sois là.

Ils se donnèrent une accolade pleine d'émotion et, par-dessus l'épaule de Martin, le regard de Clay croisa celui d'Annabelle. Elle était heureuse pour le père et le fils, mais leur réconciliation ne changeait rien à ses accusations passées, à ce qu'il avait pu penser d'elle. Elle détourna les yeux, les joues irritées par ses larmes séchées.

Comme le prêtre poursuivait la cérémonie, elle tâcha de se concentrer sur les paroles échangées, mais elle sentit la présence silencieuse de Clay de façon aussi palpable que le premier jour où elle l'avait vu, dans le train en provenance de l'aéroport, envahissant son esprit et son corps. Elle avait les yeux qui brûlaient, et elle avait de plus en plus de mal à respirer, mais elle évita scrupuleusement de croiser le regard du jeune homme de l'autre côté de la nef.

En silence, elle souhaitait par-dessus tout que le prêtre se dépêche d'en finir, mais le religieux semblait vouloir compenser le fait que ce mariage se déroule en petit comité en consacrant une foule de vœux de bonheur, de sages paroles et de prières à l'heureux couple. Il finit par les déclarer mari et femme.

— Vous pouvez embrasser la mariée.

Annabelle recula d'un pas pour que le photographe ait une vue dégagée et, ce faisant, elle heurta quelqu'un.

— Désolée, murmura-t-elle, mais avant même d'avoir pu se retourner, elle sut d'instinct qu'il s'agissait de Clay.

Elle se prépara à affronter son regard intense et leva les yeux vers lui.

— C'est ma faute, déclara-t-il, examinant le visage de la jeune femme de ses yeux bleus. Pourrez-vous un jour me pardonner ?

Un petit rire échappa à Annabelle.

— Nous nous sommes juste un peu rentrés dedans – il n'y a pas de mal.

Il pinça les lèvres.

— Je voulais parler de toute cette histoire, tout ce chaos que j'ai semé. Je me suis comporté de façon abominable et je ne vous en voudrai pas si vous refusez de m'adresser la parole à tout jamais.

Alors comme ça, il souhaitait que leur relation soit amicale, ou du moins cordiale. Pour le bien de leurs parents, sans doute, mais elle préférait ne pas avoir à faire semblant. En outre, plus elle passait de temps auprès de Clay, plus il risquait de se rendre compte que ses sentiments pour lui étaient bien plus qu'« amicaux ». Et elle avait déjà assez été humiliée par cet homme.

— Alors nous sommes d'accord, répliqua-t-elle sur un ton léger. Et vous ne m'en voudrez donc pas si je ne vous adresse pas la parole.

Il tressaillit.

— Je l'ai bien mérité. Mais si vous ne me parlez pas, écoutez-moi au moins. Je suis navré d'avoir douté de vous et de vos intentions. Je suis tellement habitué à ce que tout le monde autour de moi agisse par intérêt que j'ai oublié qu'il existait encore des personnes honnêtes et bienveillantes sur cette Terre.

Elle peina à déglutir.

— J'ai voulu vous croire capable de toutes ces choses dont je vous ai accusée parce que je voulais trouver une raison d'ignorer les sentiments que je commençais à éprouver pour vous, poursuivit-il.

Le cœur d'Annabelle s'emballa follement, mais elle refusa de laisser son imagination divaguer. Il souhaitait simplement instaurer une entente cordiale entre eux. Clay prit la main de la jeune femme et la serra. Au contact de sa paume chaude et puissante, tous les malentendus et toutes les paroles méprisantes se volatilisèrent de son esprit. Son cœur chavirait, elle savait qu'elle ferait tout ce qui était en son pouvoir pour sauver cette amitié qu'il lui proposait, et qu'elle garderait ses sentiments enfouis au plus profond d'elle. Avec le temps, peut-être parviendrait-elle à ne le voir que comme un ami. Au moins, ils n'auraient plus à s'affronter.

— Vous m'avez dit une fois que, dans mon travail, j'étais une sorte d'entremetteur, déclara-t-il. Que je savais quand deux personnes étaient faites l'une pour l'autre.

Il porta la main d'Annabelle à sa bouche pour l'embrasser furtivement. Elle écarquilla les yeux de surprise et d'anticipation.

— Je crois que vous et moi, nous sommes faits l'un pour l'autre, Annabelle. Et même si vous ne ressentez pas la même chose, il fallait que je revienne pour vous dire ce que je ressentais. C'est le moins que je puisse faire vu la façon dont je vous ai traitée.

Clay prit une profonde inspiration, puis lui adressa un sourire si tendre qu'elle en eut les larmes aux yeux.

— Votre cœur parle au mien, Annabelle. Dieu sait que je ne mérite pas d'avoir la moindre chance avec vous, mais si vous voulez bien m'en laisser une, vous feriez de moi le plus heureux des hommes.

Submergée par l'émotion, la jeune femme sentit sa gorge se serrer. Elle prit la parole d'une voix rauque et hésitante.

— Mais vous disiez ne pas croire aux heureux dénouements…

Il prit son menton entre ses mains et scruta son visage.

— Je vous aime, Annabelle. Et vous ?

La jeune femme peina à déglutir puis acquiesça, les yeux pleins de larmes.

— Oui.

— Alors je suis un autre homme, déclara-t-il à bout de souffle.

Il pencha la tête et elle posa ses lèvres sur les siennes dans un baiser si intense, empli de promesses et de passion, qu'elle en oublia qu'ils se tenaient debout dans une église, en public, jusqu'à ce que la voix de Belle la ramène à la réalité.

— Annabelle !

Ils se séparèrent à temps pour que la jeune femme voie l'objet qui volait dans sa direction. De façon purement instinctive, elle tendit les mains… et attrapa le bouquet de sa mère.

Épilogue

Annabelle leva sa flûte de champagne en direction de Belle et Martin.

— Joyeux anniversaire de mariage !

— Oui, joyeux anniversaire, déclara Clay en trinquant pour célébrer la première année de mariage de leurs parents.

De sa main libre, il serra l'épaule d'Annabelle.

Cette dernière adressa un sourire à l'homme qu'elle aimait de tout son cœur. Dans un léger sursaut, elle remarqua dans ses yeux d'un bleu profond un soupçon de tension dont elle n'avait pas eu conscience auparavant. Elle comprit subitement. Même si Clay avait soutenu de tout cœur le mariage de leurs parents, et s'il n'avait émis aucun doute à ce sujet depuis lors, au fond de lui, il devait craindre que Martin ne déçoive Belle et ne revienne sur sa promesse de lui rester fidèle… Promesse qu'il avait faite à toutes les autres. À l'insu d'Annabelle, Clay devait avoir noté cette date dans sa tête, le premier anniversaire de mariage de leurs parents, comme une date clé, car aucun des mariages précédents de Martin n'avait dépassé ce stade. Le fait que Clay ait gardé cela pour lui toucha la jeune femme – il voulait tant croire en son père.

Et voilà que c'était désormais le cas.

Quand Martin s'approcha pour embrasser son fils, Annabelle le libéra avec joie, heureuse de constater qu'au fil de cette année le père et le fils s'étaient épanouis dans le genre de relation que Clay avait toujours désiré.

Belle vint serrer sa fille très fort dans ses bras.

— Je suis si heureuse que tu sois ici, ma chérie.

— Je ne manquerai ça pour rien au monde, maman.

— Nous comptons les jours jusqu'à ce que ton contrat se termine.

— Plus que quarante-trois ! annonça Annabelle en riant.

Elle aussi les comptait, et son impatience se décuplait chaque fois qu'elle barrait un autre jour sur son calendrier.

— C'est surtout Clay qui attend que tu sois enfin libérée, déclara Belle en lançant un regard en direction du jeune homme.

Annabelle rougit.

— Clay et moi n'avons pas encore parlé de ce qui surviendrait lorsque mon contrat serait terminé. J'aime ma maison. Et tout s'est bien passé jusqu'ici – il passe en coup de vent un week-end par-ci par-là, et nous nous retrouvons sur Skype quand il est en Europe.

— Pourtant, ce n'est pas la même chose que d'être ensemble tout le temps, objecta Belle.

— Je sais, rétorqua Annabelle, mais je ne suis pas sûre que nous ayons besoin d'aller si vite.

Elle sentit une boule se former dans son ventre en énonçant ce mensonge… Ce dont elle n'était pas sûre, c'était si Clay avait dépassé son aversion pour le mariage. Elle savait qu'il l'aimait, mais le mariage – c'était quelque chose de totalement différent. Et elle avait repéré quelques changements dans son attitude. Il s'était fait moins présent, parfois distrait, ce qu'elle attribuait au marché important qu'il tentait de conclure et qui semblait lui prendre le plus clair de son temps. Mais quand elle lui avait demandé de quoi il s'agissait, il avait répondu vaguement, sous prétexte que c'était confidentiel. Et les deux dernières fois où il lui avait rendu visite, elle l'avait surpris en train de consulter son calendrier, aux pages où elle comptait les jours jusqu'à la fin de son contrat. Se sentait-il sous pression ?

Avait-il maintenant des doutes sur les heureux dénouements ?

À vrai dire, elle avait aussi ses propres doutes quant au mariage, se demandant si elle était faite pour cela ou pas. Il était inconcevable qu'elle ne passe pas le reste de sa vie avec Clay… mais chaque jour, elle constatait à quel point le mariage pouvait changer les gens.

Mais pas Martin et Belle, Dieu merci, encore plus amoureux qu'ils ne l'étaient un an plus tôt.

— Quel beau gâteau ! s'exclama Annabelle en désignant gaiement de la tête la pièce montée posée sur la table au bord de la piscine où ils s'étaient installés pour manger.

— C'est un cadeau des Nelson, expliqua Belle. Ce sont les meilleurs voisins que nous ayons jamais eus, Martin et moi.

Annabelle ébaucha un sourire, heureuse que cette jeune famille qui s'était installée dans la maison de son enfance ait adopté Martin et Belle comme s'ils étaient leurs grands-parents.

Surtout en les sachant tous deux impatients d'avoir des petits-enfants.

Elle leva son verre pour siroter un peu de champagne, se disant qu'elle ne devrait penser à rien d'autre qu'à cette belle célébration.

— Et si on commençait à préparer les steaks ? proposa Martin en s'avançant vers le gril gigantesque qu'il avait plaisir à régir lorsqu'ils faisaient des barbecues.

Clay semblait impatient d'aider son père. Annabelle tâcha de ne pas se sentir blessée de le voir tenter de l'éviter de cette façon… Après tout, cette journée n'était pas pour eux.

Elle fit abstraction de son appréhension et s'efforça de profiter de sa soirée. Belle et Martin avaient prévu de séjourner longuement à Los Angeles, où Martin devait tourner une série télé. Belle trépignait d'enthousiasme en pensant aux stars qu'ils fréquenteraient là-bas, et n'en revenait pas de constater que certaines des célébrités qu'elle idolâtrait soient assez terre à terre pour lui demander la recette de sa tarte aux tomates et au fromage.

Après un dîner accompagné de desserts qui les rassasièrent, Clay et Annabelle souhaitèrent bonne nuit à l'heureux couple avant de grimper dans le pick-up de Clay en direction de son appartement de Buckhead. L'année passée, il lui avait demandé son aide pour en faire un nid douillet, mais elle se sentait toujours comme une simple invitée là-bas… sauf quand elle était lovée entre ses bras, dans son lit *king size*.

Elle étudia le beau profil de son compagnon dans l'éclairage tamisé de l'habitacle et succomba au frisson qu'il lui procurait chaque fois qu'elle posait les yeux sur lui. Même un an après le début de leur relation, il lui faisait toujours autant d'effet. Son corps vibrait d'impatience à l'idée qu'ils feraient l'amour cette nuit-là – ils se voyaient si rarement que leurs ardeurs étaient soigneusement entretenues. Leur entente physique n'était pas à mettre en doute… C'était sur d'autres plans de leur relation qu'elle commençait subitement à se poser des questions.

— C'était une superbe soirée, n'est-ce pas ? demanda-t-il.

— Splendide. Nos parents ont de la chance de s'être trouvés – ils sont adorables à tous points de vue.

Quelques mois auparavant, il aurait tendu la main pour serrer la sienne et lui dire qu'eux aussi, ils étaient adorables. Il tendit bien la main pour se saisir de la sienne, mais demeura silencieux.

Le cœur d'Annabelle se serra. Puis elle regarda par la fenêtre et fit une grimace.

— On se dirige vers le nord ?

Clay avait les yeux rivés sur la route, droit devant.

— Il faut que je vérifie une chose sur le terrain – ça ne te dérange pas ?

— Bien sûr que non.

Mais elle sentit une gêne l'envahir – essayait-il de retarder le moment où il serait seul avec elle dans son appartement ? Elle repoussa ses pensées dérangeantes en admettant que cela faisait des mois qu'elle n'avait pas vu son terrain. Depuis ce baiser interrompu sur le tronc moussu, ils avaient partagé de nombreux instants volés, là, dans l'herbe… ou près de la crique… ou encore dans l'herbe…

En cette heure tardive toutefois, il voulait certainement vérifier le système d'irrigation qui alimentait les tiges de bambous qui avaient envahi l'espace. Il en avait récemment fourni un échantillon au zoo d'Atlanta afin qu'ils les servent aux pandas géants qui étaient exigeants en matière de nourriture. Apparemment, ces bambous avaient eu du succès, car des employés du zoo l'avaient contacté pour savoir quelle quantité il pouvait en fournir.

Elle avait été enthousiaste quant à ce nouveau projet, mais se demandait s'il n'avait pas supplanté celui de construire une maison à cet endroit, songeant qu'il repensait peut-être son avenir.

Quand ils arrivèrent sur le terrain, au bout d'un sentier, elle se souvint à quel point il pouvait faire sombre lorsqu'on se trouvait si loin des lumières de la ville et des voitures. Le ciel au-dessus d'eux ressemblait à une vaste toile bleu marine perforée. Les phares du véhicule illuminaient les herbes hautes, les reliefs et les gigantesques bambous qui avaient encore poussé depuis sa dernière visite. Elle baissa sa vitre et tendit le cou pour entendre les criquets et les sauterelles qui ne dormaient jamais. C'était une belle nuit d'été – encore imprégnée de la chaleur du jour, mais avec assez de vent pour éviter l'humidité écrasante.

— J'avais presque oublié comme c'était joli, déclara-t-elle, songeant à quel point cela lui manquerait si…

S'il s'avérait que Clay et elle ne formaient pas un couple si adorable que ça.

Il ralentit pour s'arrêter près d'un boîtier en métal. Il coupa le contact, mais laissa ses phares allumés pour le guider jusqu'au boîtier. Après l'avoir déverrouillé, il tendit une main à l'intérieur pour y enclencher un interrupteur. Quelques mètres plus loin, une nouvelle lumière aveuglante s'alluma tout en haut d'un grand poteau, éclairant le terrain en contrebas.

Annabelle descendit du pick-up et considéra la vaste zone qui avait été délimitée à l'aide d'un ruban jaune.

— Qu'est-ce que c'est ?

— Ma maison.

Elle sentit une douleur la poignarder. Alors comme ça, Clay menait à bien ses projets personnels comme si de rien n'était et sans lui en toucher un mot. Elle n'en revenait pas.

— En fait, ajouta-t-il d'une voix rauque, c'est notre maison à nous... enfin j'espère.

Le cœur de la jeune femme bondit et elle sentit la tête lui tourner.

— Tu espères quoi ?

Il se mordit la lèvre et la prit par la main.

— Annabelle, je sais ce que tu penses du mariage... et j'ai toujours partagé cette opinion.

— Clay, je...

— S'il te plaît, laisse-moi terminer avant que je ne panique.

Elle s'efforça de garder le silence. Clay, paniquer ?

— Je sais que cela va sonner un peu vieux jeu à tes oreilles, mais je ne veux pas que nous restions sur cette relation à distance, ni que nous nous contentions de vivre ensemble.

Il sentit sa gorge se serrer.

— J'aimerais que tu reviennes t'installer ici à la fin de ton contrat, reprit-il. Mais si ce n'est pas ce que tu veux, je suis prêt à m'installer dans le Michigan. Je me suis dit qu'il valait mieux que je te demande avant de faire couler la dalle de cette maison.

Toutes ces révélations étourdissaient la jeune femme.

— Me demander quoi ?

— En voyant nos parents fêter leur anniversaire de mariage aujourd'hui, j'ai été conforté dans l'idée de ce que je voulais pour nous.

Il s'agenouilla et sortit de sa poche une petite boîte recouverte de velours.

Annabelle prit une profonde inspiration et sentit le rouge lui monter jusqu'aux oreilles.

Il ouvrit l'écrin pour dévoiler un anneau serti de diamants éclatants parfaitement assorti à la bague de fiançailles de sa mère.

— Annabelle Coakley, veux-tu m'épouser ?

Elle resta bouche bée. Quelques minutes auparavant, elle était convaincue qu'il allait lui briser le cœur. Et voilà que désormais son cœur tambourinait si fort dans sa poitrine qu'il était sur le point d'exploser. Tous les doutes qu'elle pouvait avoir eus sur le mariage furent réduits à néant dès l'instant où elle le regarda dans les yeux. Comment avait-elle pu seulement penser qu'elle pourrait désirer rien de moins que d'être mariée à cet homme ? Elle voulait qu'ils soient unis par les liens indissolubles du mariage… pour le meilleur et pour le pire… dans la prospérité et dans la détresse… dans la santé et dans la maladie… jusqu'à ce que la mort les sépare…

après avoir passé de longues années dans les bras l'un de l'autre.

Pour autant, elle ne pouvait résister à l'envie de faire un peu durer son plaisir – après tout, elle avait une réputation à défendre.

Elle croisa les bras.

— T'épouser, moi ?

Il acquiesça d'un air solennel, légèrement inquiet.

— Je vais devoir signer un contrat de mariage ?

— Non.

— Je vais devoir changer de nom ?

— Non.

— Et je vais devoir déménager ?

— Non.

Elle posa une main sur sa bouche et feignit de réfléchir, mais la joie qui bouillonnait en elle ne lui permit pas de faire illusion plus longtemps. Elle rit entre ses doigts et Clay leva la tête.

— Je veux t'épouser de toutes les façons, Clay Castleberry ! s'exclama-t-elle avant de se jeter dans ses bras.

Il se releva et la fit tourner en riant. Quand il la reposa, il mit la bague au doigt de la jeune femme puis l'embrassa fougueusement.

Alors que leurs lèvres chaudes se scellaient, Annabelle se remémora la première fois qu'il l'avait embrassée et songea au chemin qu'ils avaient parcouru depuis ce jour fatidique. Leur premier baiser avait été le fruit d'un désir charnel, mais avec ce baiser-ci ils se promettaient de passer leur vie ensemble. Quand ils furent à bout de souffle, ils se serrèrent fort.

— J'étais persuadé que tu allais dire non, murmura-t-il contre ses cheveux. Je me faisais tant de souci. Et j'avais peur que tu n'aies des soupçons, car la préparation des travaux pour la maison m'a pris beaucoup de temps.

Elle recula d'un pas.

— C'était donc ça, ton projet confidentiel ?

Il acquiesça.

— J'ai travaillé avec un architecte pour définir l'emplacement du bâtiment.

Il saisit sa main et l'attira vers la zone délimitée, puis il enjamba le ruban jaune représentant les murs extérieurs.

— Je pensais que la porte d'entrée serait là… et la cuisine là-bas… et le salon par là, avec de grandes baies vitrées pour admirer la vallée.

Il s'arrêta et leva les yeux sur elle, sa mine pleine d'espoir se faisant contrite.

— Mais on peut tout changer si tu veux, bien entendu.

— Je suis sûre que ça va être génial, déclara la jeune femme en riant.

Elle parcourut le site des yeux, puis lui adressa un sourire malicieux.

— Et où sera la chambre ?

Il lui désigna un endroit avec un grand sourire.

— Juste là.

Il entremêla ses doigts aux siens et la mena à un endroit herbeux. Il ne la quitta pas des yeux quand il sortit sa chemise bleue de son pantalon avant de la déboutonner. Elle en eut l'eau à la bouche quand il découvrit son large torse et son ventre plat. Son physique irréprochable la bouleversait encore plus que la première fois qu'elle l'avait vu dans sa piscine, en train de se moquer d'elle. Parce que maintenant, elle savait quels plaisirs ce corps viril pouvait lui procurer.

Il retira sa chemise et l'étala sur l'herbe tendre. Il l'attira à lui et la hissa sur lui, cherchant sa bouche pour lui administrer un doux baiser. Ils étaient des amants chevronnés désormais, connaissant le corps de l'autre dans ses moindres détails, prompts à identifier les gémissements et les zones les plus sensibles de leur moitié. Pourtant, quelque chose avait changé – c'était comme si c'était la toute première fois.

Ils retirèrent leurs vêtements avec une lenteur délibérée, se caressèrent et stimulèrent consciencieusement leurs points sensibles avec un plaisir non dissimulé. Quand leurs corps entrèrent en contact, leurs mouvements reflétèrent leur amour qui s'était décuplé grâce à cet engagement officiel.

— Je t'aime, murmura Clay à son oreille quand ils eurent repris leur souffle.

— Je t'aime aussi, chuchota Annabelle en passant la main sur son cœur.

Un sourire vint relever ses lèvres quand elle s'étonna de constater à quel point sa vie avait changé en une simple année. Elle se redressa sur un coude.

— Et que ferons-nous si quelqu'un essaie d'empêcher notre mariage ? le taquina-t-elle.

Il émit un grognement et la serra contre lui pour l'embrasser.

— Ils peuvent toujours essayer.

M
CENTRAL PARK

The Fell Types are digitally reproduced by Igino Marini.
www.iginomarini.com